ROBIN LLYWELYN

UN DIWRNOD
YN YR
EISTEDDFOD

CYSTADLEUAETH GWOBR GOFFA DANIEL OWEN
EISTEDDFOD GENEDLAETHOL CYMRU
CASNEWYDD A'R CYLCH, 2004

Argraffiad cyntaf – 2004

ISBN 1 84323 413 0

Dymuna'r cyhoeddwyr gydnabod cymorth
Cyngor Llyfrau Cymru.

Argraffwyd yng Nghymru gan
Wasg Gomer, Llandysul, Ceredigion SA44 4JL

I
Owain

PENNOD UN

Dim yn y tywod dan lygad yr haul oeddwn i'n gorfadd ond ynghanol glaswallt ac asgall a llanast caniau a photeli gwin. Nid haul y dwyrain oedd yn gwneud imi chwysu ond haul cynta'r bora'n taro'r adlan. Doedd yna ddim twrw bach na mawr o'r garafán, pwy bynnag oedd biau hi. Codi wnes i a cherddad o'i chwmpas a'r gwlith yn drwch ar hyd fy fferau. Dim golwg o'r blydi beic. Beic da oedd o hefyd, un du hefo un deg wyth gêr.

Roedd yr awyr yn wyrddlas a'r ehedydd eisoes yn uchel uwch ben maes Mathrafal. Byddai heddiw'n ddiwrnod chwilboeth arall yn ôl pob golwg. Sodrais fy sbectol haul yn sownd ar fy nhrwyn a'i nelu hi am banad. Roedd yna bobol droednoeth yn tynnu casgenni piso ac yn trio osgoi'r asgall. Roedd yna griw o fora-godwyr yn trio osgoi'r mwd wrth y tap dŵr oer. Diolch byth roedd Sbâr ar agor.

Prynais botelad fflat o wisgi clycha a chardyn newydd i'r ffôn bach.

'Drws nesa,' meddai'r hogan yn y ffedog werdd pan ofynnais iddi lle cawn i banad.

'Ti'n fore heddiw,' meddai hogan y Gegin Ore a hithau'n gwenu.

Mi dynnais fy sbectol haul i edrych arni. 'Fues i rioed yma o'r blaen,' meddwn i. Roedd ei chroen yn llawn haul a'i llgada'n rhai duon a'i dannadd yn wyn. 'Tyd â chwpan wag imi hefyd,' meddwn i wedyn. 'Dwi'n licio lot o lefrith.' Roedd hi'n slaff o hogan heglog a'i ffedog wen yn llaes 'dat ei phenna glinia.

Isio lle i roi jochiad o wisgi yn fy nghoffi oeddwn i. Roeddwn i'n teimlo'n well wedyn ac yn dechrau dadebru wedi clecio'r ail banad. Dyna lle'r oeddwn i a'm penelinoedd ar y bwrdd plastig gwyn yn syllu ar y staens coffi ac yn gwasgu fy nyrnau at fy arleisiau nes oeddwn i'n gweld sêr. Roeddwn i'n cofio deffro'n ddisymwth o freuddwyd annifyr. Gorfadd yn y tywod poeth a'm llygad at y telesgopig a pherlau duon o chwys a thywod yn britho fy nhalcan. Roeddwn i'n tynnu fy mys yn ysgafn ysgafn ar y gliciad fel daeth y fflach a'm deffrodd. Hen deimlad annifyr ydi cael dy saethu yn dy freuddwyd. Gwthiais fy nyrnau'n dynnach eto o boptu fy mhen ond ar waetha'r gwasgu ches i fawr o synnwyr ohono fo.

Hefo'r beic oedd fy nghwynion yn cychwyn ond ddim dyna lle roeddan nhw'n gorffan. Beic da, beic du hefo streipan arian ar ei hyd o, hefo un deg wyth o gêrs a golau'n gweithio'n y ffrynt a'r cefn. Does neb yn dwyn beics yn 'Steddfod. Dyma gadarnle ola gwlad y menig gwynion.

Mae gwaeth petha i'w colli na beics hefyd. Fasa colli'r byd i gyd yn grwn yn ddim gin i chadal colli'r plantos. Dyna pam dwi mor daer i'w cael nhw'n ôl. Nid os ond pryd y daw'r plant yn ôl i Gymru fydd hi os ca i fy ffordd. Dwi wedi gweld eu bodia bach nhw'n glwstwr pan oeddan nhw'n fabis, a'u breichiau'n agor fel breichiau mwncis uwchben y bàth. Dwi wedi newid eu clytia nhw a'u dandwn a'u diddori a dysgu iaith iddyn nhw a'u cadw rhag drygioni. Nes i'r ast o'r Alban eu cipio nhw oddi arna i.

A finnau'n poeni am hen feic. Ynta poeni nad ydwi'n cofio be wnes i hefo fo ydw i? Dwn i'm. Be dwi'n gofio ydi'r beic cynta gafodd Siôn pan oedd o'n dair oed. Buan iawn y bu'n rhaid tynnu'r olwynion bach o boptu'r olwyn ôl, fynta'n rêl boi'n pedalu fel fflamiau i lawr yr allt tuag ata i. Bethan wedyn, er ei bod hi'n hogan fawr yn ochor Siôn, yn 'cau gadael imi'u tynnu nhw rhag ofn iddi syrthio. Mae'r beics bach wedi hen fynd. Sglefrio bwrdd ar hannar peipan ydi pethau'r hogyn 'cw erbyn hyn. Dyna ddeudodd o wrtha i y tro dwytha inni gael sgwrs ffôn. Mae'r beics yn y sgip a'r plant ymhell oddi wrtha i rŵan. Mi fasa ochor arall y lleuad yn nes os ceith hi ei dymuniad.

Dwi'n cadw llun o'r ddau yn fy walad, llun dynnwyd yn yr ysgol fis Medi dwytha. Mae o'n sbio'n heriol a'i ddant blaen newydd yn sgleinio'n anghyfarwydd dros ei wefus, hithau'n swil a'i gwallt melyngoch yn dynn ar dop ei phen. Mae'r llun wedi treulio braidd – tydio wedi bod yn fy walad ers misoedd? Byddwn i'n syllu arno fo bob cyfla pan oeddan ni yn yr anialwch ac yn meddwl amdanyn nhw'n chwara'n iard yr ysgol a finnau ar fy hyd yn y llwch poeth yn aros am gyfla i ladd rhywun arall. Hefo hogyn o Benllach oeddwn i; Dewi Pritchard oedd ei enw fo. Roedd o'n fengach na fi o saith mlynadd. Yno byddai'r ddau ohonom ar ein hyd yn y tywod yn syllu ar y gwres yn crynu fel tonnau ar draws Llyn y Morynion. Weithiau am awr neu ddwy, weithiau am ddiwrnod ar ei hyd. Pan ti mewn lle felly a'r gwynt yn chwipio'r tywod i'th wynab di, ti ddim yn teimlo fel llawar o gongrinero. Cachu plancia fyddwn i rhan fwyaf o'r amsar. Pan fyddwn i'n teimlo'r cryndod yn cerdded drosta i byddwn i'n estyn am y llun bach a syllu ar y plantos gan feddwl amdanyn nhw'n chwarae'n braf heb wybod dim byd am haul yr anialwch.

Dwn i ddim p'run o'r ddau dymor dyletswydd fues i arnyn nhw oedd y gwaethaf – hwnnw pan oedd y rhyfel yn dechrau, ynteu wedyn, pan oeddan ni'n methu cadw'r heddwch a'r holl beth wedi mynd yn draed moch.

Ond un bora gafodd Dewi fwlad drwy'i dalcan. Mi gafodd fynd adra mewn sach ddu a'i gladdu hefo Jac yr Undeb dros ei arch o a rhosod gwynion ar ei phen. Maen nhw'n deud mai gwaith milwr ydi lladd neu gael ei ladd. Maen nhw'n deud mai dyna mae o'n ei ddysgu. Ydi hynny'n gwneud ei farw o'n llai o gollad felly?

Un tro roedd y bobol leol wedi heidio amdan ein cwt concrid ac wrthi'n ein pledu ni hefo bwledi a ninnau heb gymorth o'r tu allan na hofrennydd i'w galw i lawr. Tydi'r ffaith i mi gael fy nhraed yn rhydd ddim yn fy ngwneud i'n arwr. Lwc mul a gewin o leuad biau'r diolch imi fedru croesi'r anialwch dan y sêr. Draw tua'r corsydd yr ochor draw yr es i nes cyrraedd pobol heb eu cyffwrdd gan yr oesoedd, heb nag injan na pheiriant i dorri ar suo'r gwynt drwy'r brwyn. Pobol draddodiadol oedd yma heb ddiddordab mewn rhyfal. Doedd neb isio'u tir nhw eto; roedd eu croeso'n syml. Drwyddyn nhw y dois i allan o Irac y tro cynta.

Cyrraedd adra fel huddug i botas gan feddwl rhoi syrpréis i bawb a ffeindio'r lle wedi'i gloi. Doeddwn i ddim wedi siarad hefo neb ers gorfod diffodd y ffôn bach yn yr anialwch. Doedd neb yn fy nisgwyl i'n ôl mor fuan. Peth gwirion i'w wneud, rhoi syrpréis i bobol. Doedd o'n gneud dim gwahaniaeth. Doeddan nhw ddim yno. Roedd Bethan a Siôn wedi mynd, meddai'r nodyn, a chawn i mo'u gweld nhw eto. Rhif ffôn rhyw dwrna'n yr Alban.

Mi gawn ni weld am hynna, meddwn inna wrthyf fy hun. Tydw innau nad oes gen i hawliau, 'wst ti.

Mi wn i'n iawn fod yr hen gnawas wedi cadw'r ddau ffôn symudol rois i iddyn nhw tro dwytha. Dim ond negas mewn acan Glasgow sydd ar y peiriant atab yn y fflat. Un tro fues i am bedair awr wedi parcio wrth odra'r tŵr lle maen nhw'n byw a dal heb eu gweld nhw. Finnau wedi gyrru ar hyd y nos i'r Alban dim ond i roi anrheg penblwydd i Bethan yn wyth oed. Wel, y tro hwn mi fydd pethau'n wahanol. Dwi'n ôl am byth y tro hwn a dwi yma i'w dwyn nhw'n ôl i'w cynefin lle maen nhw i fod.

Dim ond ychydig o ysgol gafodd y plant ym Manod cyn inni symud i'r tŷ byddin yng Nghatraeth. Ond roedd o'n ddigon iddyn nhw fagu egin o Gymreictod. Dwi'n cofio Siôn yn dŵad ata i ar ôl ysgol un diwrnod ac yn gofyn, 'Ydi'r iaith Gymraeg yn mynd i farw?'

'Duwcs nacdi, siŵr,' meddwn innau. 'Pobol sy'n marw, nid ieithoedd.'

'Mrs Preis yn rwdlian eto mae'n siŵr,' meddai Siôn.

Dwi'n cofio Bethan adag oeddan nhw'n fach yn Ysgol Sul Tabernacl yn dweud wrtha i, 'Duw sy'n rhoi plant i bobol, ynde?'

'Ia, 'mach i,' meddwn innau.

'Lwcus iddo fo roi plant bach Cymraeg i chdi, 'de, Dad?' meddai Siôn.

'Ia,' meddwn innau. 'Lwcus iawn.'

Fyddwn i'n mynd am dro hefo nhw i hel madarch melyn a mwyar duon. Fydden ni'n gwrando ar chwiban y dryw ac yn gweld y sioncyn yn y gwair. Fydden ni'n sbio i'r entrychion liw nos a nabod y sosban neu'r arad a rhai o'r sêr eraill.

'Dadi, oes 'na fyd arall?' meddai Siôn.

'Sut fyd?' meddwn i.

'Byd a pobol yn byw ynddo fo,' meddai.

'Be wyt ti'n ddyfalu?'

'Dau,' meddai yntau.

'Dim ond un sy'n siŵr.'

'Hwyrach fod 'na fwy.'

11

'Na 'wrach,' meddwn innau.

Roedd y ddau'n wahanol iawn o ran anian, hyd yn oed pan oeddan nhw'n fach. Dwi'n cofio pan fyddai'r tylwyth teg yn galw i roi pres dannadd i'r plant, fyddai Bethan yn paratoi nodyn iddyn nhw mewn amlen dan ei gobennydd. Magl fyddai Siôn yn ei gosod iddyn nhw i drio'u dal nhw. Eglurais iddo fo fod trio dal y tylwyth teg ddim yn syniad da iawn.

'Ond mae arnyn nhw bres imi,' meddai. 'Naethon nhw anghofio'r tro dwytha.'

'Dwi'n siŵr bod yn ddrwg iawn ganddyn nhw,' meddwn innau a'm llaw yn fy mhocad yn chwilio oedd gynna i bishyn dwybunt at nes ymlaen.

Un peth wnaeth magu plant i fi oedd f'atgoffa o'm hoes innau'r un oed â nhw. 'Radag honno roeddwn i'n byw yr ochor draw i Manod. Lawr wrth y bont oeddwn i'n byw a thwrw'r afon yn fy mhen bob bore ar y ffordd i'r ysgol. Ac ar y ffordd yno'r diwrnod cyntaf dwi'n cofio'r wal yn dweud 'Helô' wrtha i. Wnes i ddim atab gan fod Nain yn gafael yn fy llaw. Wnes i ddim atab y wal tan nes oeddwn yn gallu cerdded ar fy mhen fy hun.

'Helô, wal,' meddwn i wrthi.

'Paid ti â'm "helô, wal" i,' meddai'r wal. 'A chditha wedi'n anwybyddu fi o'r blaen, y diawl oriog ichdi.'

'Ia, sori am hynna,' meddwn i. 'Oedd Nain hefo fi. Tasa hi 'di 'ngweld i'n siarad hefo'r wal hwyrach y basa hi 'di deud rhywbath wrth Jôs Sgŵl.'

'Felly?' meddai'r wal. 'A be fasa hwnnw wedi'i wneud hefo chdi?'

'Fy nghuro i eto 'mwn,' meddwn i. 'Paid â bod yn flin, wal bach. Tydi'n braf arna chdi yn cael gorfadd yma drwy'r dydd? Dim codi'n bora na mynd i'r gwely'n nos. Dim gwaith nac ysgol, dim ond gorfadd yn llygad yr haul yn berwi hefo mwyar duon.'

'Wyt ti wedi gorffan paldaruo?' meddai hithau. 'Dwi'n gaeth yma dan bob tywydd a'r drain uffernol yma'n fy mhigo'n ddu-las. Daeargryn ydi'r unig beth ddaw â'r artaith yma i ben a gadael imi suddo'n ôl i'r pridd lle dwi isio bod.'

Es i ar hyd lôn y cwm yn ddiweddar, ond roedd dynion â pheiriannau wedi chwalu cerrig y wal er mwyn lledu'r ffordd. O leia gafodd hi ei dymuniad.

Roeddwn i'n dechrau chwysu chwartia dan lygad yr haul. Mi faswn i'n hanner lladd y sglyfath ddwynodd fy meic. Codais oddi wrth y bwrdd simsan stremplyd a'i chychwyn hi i rywle; Maes B, hwyrach, i chwilio amdano fo. Toedd o wedi costio'n agos i ddau gan punt imi, heb sôn am y strach o'i gael o yma wedi ei strapio i gefn y car. Croesi'r lôn alwminiwm rychiog oeddwn i pan ddaeth Gwyn Bont ata i a'i fag 'molchi yn ei law a'i dŵal dan ei gesail yr un ffunud â Ioan Bedyddiwr.

'Pwy sy 'di dwyn dy bwdin di 'ta, sowldiwr?' meddai pan glywodd fy 'su'mai' swta fi.

'Ryw sglyfath wedi dwyn fy meic i,' meddwn i a phoeri i'r llwch. 'A thydw i ddim yn sowldiwr ddim mwy, tasa fo'n fusnas i chdi.'

'Be sy?' Edrychodd arnaf o'm corun i'm sawdl. 'Y frenhines ddim yn edrach ar dy ôl di'n iawn neu rywbeth?' Ysgydwodd ei ben yn araf. 'Sut oedda chdi'n medru saethu a chditha'n methu gweld?' Pwyntiodd hefo'i fys tuag at y siop.

Be welwn i yn ochor y ffens ond fy meic. 'Hei, reit dda rŵan, Gwyn Bont,' meddwn innau.

'Gwyn ap Llwyd, os gwelwch yn dda,' meddai'n findlws

gan blygu'i ben moel tuag ata i. Roedd ei siwmpar yn hongian amdano a'r llewys yn rhy hir i'w freichia.

Chymris i 'run sylw ohono fo. Dwi'n cofio Gwyn Bont a finnau a ninnau'n hogia wedi dringo clogwyn ceunant y Gelli a'r siglan yn croesi'r pwll a fynta arni hi. Dim ond ei sodlau'n fflachio yn yr haul welis i ac roedd y diawl a'i ben i lawr yn yr afon. Fues i hefo fo ar ben y moelydd a'n brechdanau jam ni'n biws fel y llus. Dwi'n cofio mynd hefo fo un tro ar gefn beics i Betws a rhyfeddu at yr holl bobol yn gweu drwy'i gilydd fel morgrug a ninnau'n dwyn fferins ac anrhegion o'r siop fwya ar y stryd fawr. Diawl o waith gwthio'r beics yr holl ffordd 'nôl dros y Creimea wedyn. Roedd hi wedi twllu erbyn inni gyrraedd adra.

Fues i hefo fo'n torri ffenestri ac yn prynu diod o dan oed. Roeddan ni'n dilyn ein gilydd i bob man yr adag honno a ninnau'n yr un dosbarth yn yr ysgol bach. Dim ond adag aethon ni i Ysgol y Moelwyn gawson ni'n gwahanu. Llyfrau oedd ei betha fo erbyn hynny, a finna'n gwneud dim ohoni'n yr ysgol ond hel genod a gwneud drygau. Toeddwn i ddim yn poeni llawar am y dyfodol; roedd digon o gyfleon yn yr Atomfa. Oeddwn i wedi cael hanas joban yno hefyd, ond wedyn daeth y sôn bod y lle am gau.

Welis i'm llawar ar Gwyn Bont ar ôl iddo fo fynd i'r Colag. Aros wnaeth o yng Nghaerdydd wedyn, landio ryw joban hefo'r cyfryngau neu rywbeth. Mae o yno ers blynyddoedd rŵan. Ydio'n gwneud gwahaniaeth? Dim llawar yn y bôn. Gwyn Bont fydd o i mi, waeth be ddeudith o ydi'i enw o.

'Chdi aeth â'r beic, y crinc dwylo blewog,' meddwn i'n gyhuddgar wrtho fo. Roedd y gwir am ddiflaniad y beic wedi fy nharo o'r diwadd. Fyddai Gwyn Bont byth yn gwahaniaethu rhwng ei eiddo fo'i hun ac eiddo pobol eraill.

14

'Benthyg' fydd ei air mawr o bob gafael. Fel yna mae o wedi bod erioed. 'Ddim dwyn, dim ond benthyg' – fatha tiwn gron.

'Felly ti wedi darfod dy fandaliaeth yn Irac?' holodd wedyn. 'Be oedd, Wil Chips, methu dal y pwysau?'

'Dwi ddim isio trafod y peth,' meddwn innau'n swta a finna'n clywad rhywbath yn dechra cnoi yn fy stumog i eto.

'Pam na fasach chi'n rhwystro'r lladron a'r llosgwyr?' meddai Gwyn. 'Mae hanes ein holl wareiddiad yn y fantol.'

'Am be wyt ti'n mwydro, d'wad?' meddwn i. 'Rhwystro pwy i wneud be?'

'Ond rhwystro llosgi'r Llyfrgell Genedlaethol a'i holl archifau,' meddai Gwyn yn dechrau cynhyrfu. 'Archif Frenhinol Irac a hanes yr Ottomaniaid, a'r casgliad pwysicaf o lawysgrifau Arabaidd yn y byd. Roedd yna luniau o'r memrynau a'r llawysgrifau'n powlio fel dail ar hyd y cwterydd, llythyrau o lys Sharif Hussein o Mecca i'r Ottomaniaid ym Maghdad, llythyrau cymeradwyaeth i lysoedd Arabia, adroddiadau am ymosodiadau ar bererinion yn yr anialwch. Mi losgodd ŵyr Genghis Khan y ddinas yn y canoloesoedd ac afon Tigris yn ddu hefo inc ei llyfrau. A dyma'r un peth yn digwydd eto.' Syllodd arnaf drwy gil ei lygaid. 'Pam? Dyna'r cwestiwn.'

'Dim syniad,' meddwn i. 'Chdi 'di'r un sy'n cael cyffro mewn hen lyfrau. Chdi 'di'r un sy'n meddwl fod llyfrgell yn werth mwy na bywyd y llyfrgellydd.'

Edrychodd Gwyn arna i eilwaith ac yna droi i hel pry copyn oddi ar ei ysgwydd. 'Roedd gan yr Arabiaid ddywediad fod eu llyfrau'n cael eu sgwennu yng Nghairo, eu rhwymo ym Meirwt a'u darllan ym Maghdad,' meddai.

'Diolch byth eu bod nhw wedi'u darllan nhw cyn iddyn nhw gael eu llosgi, felly,' meddwn i.

15

Gwnaeth Gwyn sŵn twt-twtian ac ysgwyd ei ben.

'Dwi'n mynd am gawod,' meddai.

'Ddo i hefo chdi,' meddwn innau.

'Â chroeso.' Roedd cysgod o wên yn cyniwair ar ei wefus.

'Gei di roi benthyg stwff 'molchi imi am ddwyn fy meic i,' meddwn i.

'Dwyn dim byd, dim ond benthyg,' meddai yntau gan estyn siampŵ a ballu imi. Wrth lwc roedd ganddo fo rasal sbâr hefyd.

Ar waetha'r holl amsar doeddan ni ddim i'n gweld wedi colli nabod ar ein gilydd. A doedd o'n altro dim o ran deud clwydda a ballu'n ôl pob golwg, er mai sôn am betha go iawn oedd o'n ei wneud rŵan, chadal fo. Un da am ddeud clwydda oedd o'r adag honno'n Stiniog pan ddaeth y trên i stop oherwydd iddo fo dynnu'r gadwyn yn y twnnal. Dwi'n ei gofio fo pan oeddan ni'n fach a fyntau'n taeru iddo fo fygwth môr-ladron, a nhwythau'n dawnsio ar y dibyn hefo'u cyllyll rhwng eu dannedd. Welodd Gwyn Bont rioed fôr-ladron, dim ond darllan eu hanas nhw yn ei lyfrau. Tydwi'n deud dim byd yn erbyn ei lyfra fo. Mae o wedi mynd yn bell yn sgil ei holl eiriau a'i fedal a'i goron a'i wisg wen ac ati. Straeon ydyn nhw, meddai Gwyn Bont, straeon sydd wedi digwydd go iawn.

Mynd ar goll yng nghanol ei stori'i hun fydd o, dwi'n meddwl. A finna ar goll yng nghanol fy ngwirionadd. Mae o isio'r gwinoedd gorau heb wybod sut i drin y winllan. Dwi'n siŵr y baswn i'n gallu trin y winllan iddo fo; fasa'm ots gin i brofi'r gwin hefyd. Licio'i lonydd i feddwl fydd Gwyn. Llonydd i sgwennu ydi'i betha fo. Llonydd i feddwl ydi'r peth ola dwi isio – mae gormod o betha annifyr yn nofio i'r wynab fel swigod. Cwyno nad oes yna ddim llonydd i'w gael fydd o, a finnau'n trio cadw'n brysur yn lle bod y llonydd yn fy mygu fi.

O ran Gwyn, dwi'n ama mai'r llonydd sy'n dŵad gynta a'r sgwennu'n ail ar aelwyd y prif lenor neu'r prifardd ap Llwyd neu beth bynnag ddiawl ydio yn ei goban. A Duw yn unig a ŵyr lle cafodd o'r enw Gwyn ap Llwyd chwaith. Robat Bont ydi enw'i dad o a Jones ydi'r teulu. Yr unig beth llwyd ar ei gyfyl o unwaith oedd y tomennydd llechi ar bob llaw a'r tai a'r toeau ar draws pedol y Blaenau. Roedd yn rhaid iddo fo gael enw Cymraeg iawn, medda fo. I be oedd o isio derbyn rhyw drefn wedi'i gorfodi arno fo o'r tu allan?

Diawl o bwys gin i be alwith bobol fi. Wil Chips ydwi 'di bod erioed gan bawb. Ac eto toes yna ddim tsipsan wedi ei gwerthu acw ers i Nain roi'r saim ar dân a llosgi'r siop pan oeddwn i'n fach a gorfodi'r cymdogion i symud allan am y noson. Ar ôl hynny fuon ni draw yng nghyffiniau Manod am blwc nes i Nain gael lle gin y Cyngor ym Mhengwndwn. Beth bynnag, Gwyn ap Llwyd ydi Gwyn Bont erstalwm rŵan, ers iddo fo gael medal am sgwennu ryw rwts nad oes neb isio'i ddarllan a chael ei urddo'n aelod o'r Orsadd. Dwi'n cofio dweud wrtho fo sut i godi gwerthiant nofelau Cymraeg – sgwennu gwell llyfrau.

'Gwna di 'ta,' oedd ei unig atab.

Un dda oedd y gawod. Mi olchis i'n sanau yn y siampŵ achos roeddan nhw'n plygu hefo chwys sych. Rhois i nhw ar y ffens i sychu tra oedd Gwyn yn cael panad a rhôl selsig ac ŵy. Roeddwn i'n chwilio am yr hogan hefo'r llygaid duon ond doedd dim golwg ohoni. Hogan arall oedd yn gweini'r tro 'ma, jadan bach ddigon sych hefyd.

'Dim diolch,' meddai Gwyn pan dynnais y botel fflat allan o'm pocad. Doedd o ddim isio lysh i frecwast, isio cadw'i ben yn glir ar gyfer rhyw anerchiad oedd ganddo fo ar ôl cinio ym Mhabell y Cymdeithasau.

'Neith tropyn bach ddim drwg i neb,' meddwn innau a tharo jochiad yn llygad ei baned o. Digon i gnesu bol.

Roedd Gwyn isio mynd am y maes wedyn a dyma finnau'n mynd hefo fo gan adael y beic tu allan i'r brif fynedfa. 'Aros di'n fan'na tro 'ma,' meddwn i wrth y beic a hanner llygad ar Gwyn Bont. 'Paid â meddwl rhoi dy bump ar hwn eto, Gwyn Bont.'

'Cer i godi tocyn 'ta,' meddai Gwyn.

'Pam ti ddim isio un?'

'Gin i hwn toes,' meddai a dangos imi docyn bach gwyn hefo 'Mynediad i'r Maes: Urdd Derwydd' arno fo mewn inc du.

'Iawn i rai,' meddwn innau. 'Dwi'm yn talu. Cer i nôl stamp a tyd allan yma hefo'r tocyn imi gael mynd i mewn yn dy sgil di.'

Wysg ei din y cytunodd o.

Wn i ddim oedd ceidwad y porth yn coelio 'mod i'n dderwydd. Roedd o'n syllu'n ddigon rhyfadd arna i. Tynnais fy sbectol haul a dweud, 'Be sy, ydach chi ddim yn nabod fi heb y goban?' ac mi ges i basio gan godi map o'r maes am ddim oddi ar ei gowntar.

Mi ddoth Gwyn hefo fi at y peiriant pres. Roedd yna giw'n gweitsiad yn barod. Roeddwn i'n gobeithio na fyddai'r taclau'n gwagio'r peiriant cyn imi gyrraedd. Mi dynnais ganpunt allan.

'Wyt ti'n aros ar y maes drwy'r dydd heddiw?' gofynnais i Gwyn wedyn.

18

'Am wn i,' meddai. 'Dwi isio mynd i'r Cadeirio ddiwedd pnawn hefyd, i weld ydi'r stori am brifardd newydd yn wir.' A dyma fo'n dangos tocyn bach gwyn hefo Y CADEIRIO wedi'i brintio arno fo mewn inc du.

'Ddo i hefo chdi,' meddwn innau.

'Chei di ddim dŵad hefo fi i'r Cadeirio, ti'm yn aelod o'r Orsedd,' atebodd. Stopiodd a throi i mewn i stondin hen lyfrau.

'Pwy sy am fy stopio fi?' holais. Roedd llond y stondin o hen focsys yn llawn o lyfrau llychlyd a silffeidiau o rai tebyg ar hyd y waliau. Y rhan fwyaf yn hanner canrif oed a mwy. Rhai oeddwn i'n nabod o ddyddiau ysgol, eraill na welis i rioed mohonyn nhw o'r blaen. Codais lyfryn tenau hefo clawr melynfrown o'r enw *Llinell neu Ddwy* gan Ioan Brothen. Sbiis i ar y gerdd gyntaf,

'Ow! Fy more gartre gynt,

Wylaf wrth weld ei helynt;

Brudded yw ei dynged wael

Wedi i'w blant ei adael;'

ac es i â fo at y cowntar. 'Faint 'dach chi isio am hwn?' holais.

'Dwy bunt,' meddai'r gwerthwr llyfrau. 'Un o'r Penrhyn wyt ti?'

'Naci, Stiniog,' meddwn i.

'Mae 'na ganu yma i Gwmorthin,' meddai'r gwerthwr.

'Tangrisiau ydi fan'na,' meddwn i.

'Fel arfer, rhai o Benrhyndeudraeth fydd yn prynu Ioan Brothen. Neb arall wedi clywad sôn amdano fo, beryg.'

'Licio'r teitl oeddwn i.' Plygais y llyfryn a'i wasgu o i'm poced ôl.

'Ti'n ei ddifetha fo fel'na,' meddai'r llyfrwerthwr.

19

'Hwyrach,' meddwn i.

'Llyfr ydi o,' meddai'r gwerthwr. 'Isio parchu llyfrau 'sti.'

'Dwy bunt oedd o,' meddwn i. 'Chdi roth bris isal arno fo, nid y fi.'

Phrynodd Gwyn Bont ddim byd, y cybydd. Am drio'u cael nhw'n rhatach ar *eBay*, mwn.

'Wel os ti ddim yn prynu, tyd o'ma i chwilio am le amgenach,' meddwn i. 'Dwi isio bwyd.'

'Hwyrach y cei di rywbeth yn fan'ma,' meddai Gwyn a phwyntio at stondin fawr hefo offer coginio yn y tu blaen a dyn gwallt gwyllt mewn ffedog wrthi'n trio sgramblo wyau.

'Fasa ddim yn well iddo fo wisgo cap,' meddai Gwyn, ''cofn i'r blew yna fynd i mewn i'r bwyd?'

Roedd o'n egluro dros uchelseinydd sut i wneud omlet. 'Wel, mae o'n medru siarad Cymraeg yn o lew, o leia,' meddwn i.

'Yndi, yn well na'i blant o,' meddai Gwyn.

'Rhywbath iddo fo ydi hynny,' meddwn innau.

'Ia, ond os na fedrith o forol i drosglwyddo'r iaith i'w blant ei hun, pa hawl sgynno fo i honni ei fod o am wneud rhywbath dros blant Cymraeg eraill?'

'Neith o'm effeithio ar fy mhlant i, yn na wneith, Gwyn,' meddwn innau.

'Diawl o le ydi'r Alban,' meddai Gwyn. 'Wyt ti wedi eu gweld nhw ers i ti ddod yn ôl?'

'Mae'r astan Sgotaidd yna'n gwneud pob dim fedrith hi i nadu fi,' meddwn i. 'Tydi'r gyfraith yn wahanol yn fan'no ac mae'r diawl lle'n bell i ddreifio.'

Ysgydwodd Gwyn ei ben. Roedd yr omlet yn barod ond ddaru ni sôn ein bod ni wedi cael brecwast, diolch yr un fath.

PENNOD DAU

Fel oeddan ni'n gadael stondin y Cynulliad daeth hogan mewn crys Radio Cymru aton ni hefo clipfwrdd yn ei llaw a modrwy yn ei bogal.

'Fasach chi'n hoffi gweld bar ar faes y Steddfod?' holodd.

'Ar bob cyfri,' meddwn innau. 'Arwain di'r ffordd.'

'Isio recordio eitem hefo Dylan ar gyfer *Taro'r Post*,' meddai wedyn. 'Chwilio am rywun i ddadla o blaid. Fasach chi'n fodlon deud gair?'

'O'r gora,' meddai Gwyn Bont.

Arweiniodd ni ar draws y maes heibio Bwrdd yr Iaith, Pafiliwn Bwyd Blas a stondin Cyngor y Celfyddydau draw i safla Cytûn: yr Eglwys ynghyd yng Nghymru yn ymyl y cwrt arlwyo. Dyna lle roedd cyflwynydd y rhaglan yn siarad hefo nifer o weinidogion. Mi gaethon ni gynnig panad a bisgedan ar y stondin.

'Mi fasa cael bar ar y maes yn arwain at alcoholiaeth a hwliganiaeth,' meddai'r cyflwynydd wrthan ni gan wthio meic dan ein trwynau ni.

'Na fasa Tad,' meddwn i. 'Mi fasa fo'n arwain at lawar mwy o bobol yn dŵad i'r maes i'w mwynhau eu hunain yn yr hen ffordd Gymreig go iawn yn lle gor'o llymeitian paneidiau piso dryw.'

'Mae'r Eisteddfod yn achlysur teuluol,' torrodd un o'r gweinidogion ar fy nhraws. 'Mae'r diafol yn y gasgen gwrw a does dim lle iddi o fewn terfynau'r Brifwyl.'

Gwthiodd y cyflwynydd y meic i wynab Gwyn Bont. 'Y

Prifardd Gwyn ap Llwyd,' meddai, 'lle ydach chi'n sefyll ar y pwynt yma?'

'Dwi'n sefyll fan hyn wrth dy ochor di,' meddai Gwyn Bont. 'Ac mae'r rheol sych yma'n lol botas maip. Ydi gwin a chwrw'n bethau i'w cuddio oddi wrth blant, felly, a chreu cymhlethdod ynddyn nhw pan ân nhw'n hŷn? Meibion dirwestwrs ydi'r rafins gwaetha gewch chi. A pheth arall, os ydi yfad alcohol yn beth mor ddrwg, pam ddaru'r Iesu droi'r dŵr yn win? Os ydi dirwestwyr Cymru isio defnyddio crefydd fel arf yn erbyn bar ar y maes, fasa'n rheitiach iddyn nhw droi'n Foslemiaid. O leia does dim dwywaith fod y Corân yn gwahardd alcohol.'

'Dwi'n siomedig iawn yn agwedd haerllug ac anghyfrifol y prifardd,' meddai'r gweinidog. 'Mae yna lawer yn fwy i fywyd nag yfed y ddiod gadarn.'

'Oes,' meddwn i. 'Dyna pam 'dan ni angan y lysh inni fedru dygymod hefo'i holl ergydion o.'

'Diolch yn fawr i chi'ch tri am eich sylwadau,' meddai'r cyflwynydd gan graffu ar ei amserlen. 'A draw â ni rŵan i'r stafell newyddion ar gyfer y penawdau.'

Mi gerddodd y gweinidog oddi wrthym yn ffrom at ddau neu dri o'i debyg ym mhen draw'r stondin. Roeddan nhw'n codi eu pennau i daro golwg anghymeradwyol arnom o bryd i'w gilydd.

Daeth gweinidog iau na'r lleill atom o'r ochor arall a chynnig panad arall inni. Efallai nad oedd o wedi clywad y sgwrs. Estynnodd blataid o fisgedi hefo cyrains ynddyn nhw inni. 'Cymrwch ddwy bob un,' meddai.

Pwyntiodd Gwyn at y Groes ar y wal tu cefn iddo fo. 'Deudwch i mi,' meddai. 'Pam ydach chi'n ystyried y Groes yn eicon crefyddol?' Dwi ddim yn siŵr a ydi Gwyn yn cymryd y busnas crefydd yma o ddifri, ond mae o i'w weld yn olau iawn yn ei Feibil bob gafal.

'Wel am resymau amlwg,' meddai'r gweinidog ifanc.

'Tydio ddim yn amlwg i mi,' meddai Gwyn. 'Os basa'r Iesu wedi byw yn y ganrif ddwytha ac wedi ei ddienyddio gan yr Unol Daleithiau, tybad fasach chi'n arddel model o'r gadair drydan yn lle Croes?'

'Be 'dach chi'n feddwl?' meddai'r gweinidog yn gythryblus.

'Ond hap a damwain ydi'r symbol; gallai fod yn stanc llosgi, yn garreg labyddio, neu'n anifal rheibus ar lawr y colisëum. Digwydd bod, ei groeshoelio gafodd yr Iesu, ond mi lasai fod wedi ei ladd mewn ffyrdd eraill.' Cymrodd lymaid o'i baned a lledu'i ddwylo fel petai ar fin pregethu.

'Be sy nelo pictiwrs Port â'r peth?' holais.

'Ddim y Colisëum yna dwi'n feddwl, twpsyn,' meddai Gwyn. 'Colisëum y Rhufeinwyr. Dim ond gwehilion cymdeithas oedd yn cael eu croeshoelio. Rhan o'r sarhad oedd hynny.' Edrychodd o'r naill i'r llall ohonom i weld oeddan ni wedi dallt. Cymerais arnaf fy mod i'n dilyn ei eiriau gydag arddeliad.

'Be sy â wnelo hynny â'r peth?' meddai'r gweinidog.

'Dim ond bod yr holl gerfluniau o'r Iesu ar y Groes yn ffeithiol anghywir,' meddai Gwyn.

'Be wyddost ti am hynny?' meddai'r gweinidog yn dechrau codi'i wrychyn ryw gymaint.

'Digon,' meddai Gwyn Bont. 'Roeddwn i'n darllan hanes darganfyddiadau diweddar yn Israel. Chydig iawn o dystiolaeth sydd wedi bod o ran sut oedd y gosb yn cael ei gweithredu. Ond am y tro cyntaf o'r bron mae archaeolegwyr wedi cael hyd i sgerbwd dyn a groeshoeliwyd yn oes Iesu Grist. Mae'r esgyrn yn profi mai dychymyg pur ydi gwaith yr arlunwyr a'r haneswyr ar hyd yr oesoedd.' Aeth i'w boced ac estyn papur a beiro i dynnu llun.

'I ddechrau,' meddai, 'roeddan nhw'n sodro'r traed hefo'i gilydd ar un ochor i'r stanc fel'na, ac yna'n curo pawl haearn drwy'r ddwy sawdl i mewn i'r pren hefo'r pennau gliniau wedi eu plygu ac yn troi am allan ar un ochor.' Gwnaeth lun o'r trawst croes wedyn ac ychwanegu: 'Doedd yr hoelion ddim yn mynd drwy'r dwylo ond drwy'r garddyrnau, rhwng y ddau asgwrn sy'n cysylltu'r llaw a'r benelin. Pan fyddai'r coesau'n diffygio o'r diwadd byddai'r ysgyfaint yn cael ei hymestyn nes mygu'r cradur ar y Groes. Mi lasai gymryd dau ddiwrnod neu fwy iddo farw.'

'Mi rydach chi'n gwybod llawer am y cefndir,' meddai'r gweinidog. 'Ond y ffydd sy'n bwysig, nid y manylion technegol.'

'Ia,' meddai Gwyn, 'ond gofyn dwi pam fod y Groes yn ganolog. Am dri chan mlynedd, symbolau heblaw'r Groes oedd gan Gristnogion – pysgodyn neu angor er enghraifft. Symbol o wawd oedd y Groes i ddechrau. Yn y plastar ar furiau un o'r celloedd dan blasty Cesar yn Rhufain mae 'na graffiti sy'n dangos corff dyn hefo pen asyn a hwnnw ar groes a dyn ar ei liniau o'i flaen o hefo'r arysgrif: "Alecsamenos yn addoli ei dduw".'

'A beth mae hynny'n ei brofi?' holodd y gweinidog.

'Dim byd,' meddai Gwyn, 'ond y pwynt ydi, dim ond ar ôl i Constantîn wahardd croeshoelio yn y bedwaredd ganrif Oed Crist y daeth y Groes yn symbol crefyddol yn hytrach na digwyddiad beunyddiol annymunol.'

'Nid sut lladdwyd O sy'n bwysig,' meddai'r gweinidog. 'Ond ei fod O wedi atgyfodi.'

'Wel, ia,' meddai Gwyn. 'Dyna ydi craidd y peth. Heb yr Atgyfodiad does gan Gristnogaeth fawr i'w gynnig. Ond doedd neb yn disgwyl yr Atgyfodiad ar y pryd, cofiwch. Dioddefaint, amheuon ac anobaith oedd yn llenwi calonnau'r disgyblion a'r Iesu fel ei gilydd ar fryn Calfaria.'

'Ydach chi'n aelod?' holodd y gweinidog.

'Dim ffiars o beryg,' meddai Gwyn. 'Diolch am y banad.'

'Ac am y bisgedi,' meddwn innau'n porthi o'r cefn.

Aethon ni'n ôl heibio'r Neuadd Arddangos a Chyngor Llyfrau Cymru i'r groesffordd wrth ymyl stondin Blas. Roedd hwn yn adeilad cyfoes yr olwg hefo lle i ista tu mewn a thu allan a byrddau go iawn yn lle'r petha plastig gwyn yna a chadeiriau braf a bwydlenni a ballu. Wyddwn i ddim tan hynny fod yna lefydd bwyd safonol yn y Steddfod. Eglurodd Gwyn mai peth newydd oedd o eleni. Roedd yna fynd go lew arno fo'n amlwg achos roedd yna res o bobol eisoes yn aros am fwrdd i gael cinio a hithau ond yn dechra tynnu am hannar dydd. Pwy oedd ym mlaen y ciw ond Hywal Dimbach. Un garw am ei fol ydi Hywal, ac am ei win hefyd, 'run fath â Gwyn yma.

'Su'mai, hogia?' meddai ac amneidio arnom ni. 'Ydach chi am damaid o ginio?'

'Dwi'm yn talu prisiau'r lle'ma,' meddwn innau.

'Dowch,' medda fyntau. 'Dwi angan eich cefnogaeth i'r gwrthdystiad.'

'Dos i grafu,' meddai Gwyn ap Llwyd. 'Pa wrthdystiad?'

'Eglura i ichi dros ginio,' meddai Hywal. 'Fi sy'n talu.'

'Iawn, felly,' meddai'r ddau ohonom a sleifio ato fo i ben y rhes. Ymhen dim roedd y tri ohonom ni wrth fwrdd bach yng nghanol y bwyty a bwydlenni yn ein dwylo.

'Mae'r eog Rhydlewis wedi ei gochi hefo cocos

25

Penclawdd yn swnio'n dda,' meddai Hywal heb godi'i ben o'r fwydlen; roedd o wedi bod yn byw yn Sbaen ac yn dallt pob dim am fwyd y môr. Troes i siarad hefo un o'r genod oedd yn gweini. 'Gawn ni botelaid o Ddŵr-y-Cwm os gwelwch yn dda a chwech o wydrau?'

'Welis i mohona chdi'n ordro dŵr o'r blaen,' meddwn i. 'I be tisio chwech o wydrau?'

'Dŵr ydi'r ddiod iachaf yn y byd,' meddai Hywal.

'Tropyn o win gwyn oer fasa'n braf hefo'r bwyd,' meddai Gwyn.

'Pa fath o win gwyn oer fasa chdi'n ei ddewis hefo eog Rhydlewis a chocos Penclawdd?' holodd Hywal gan syllu ar Gwyn yn chwilfrydig.

'Rhyw Sauvignon Blanc bach o'r Loire neu o Seland Newydd,' meddai Gwyn. 'Sansêr hwyrach i dorri ar draws brastar yr eog.'

'Be am hon?' Aeth Hywal i ryw fag plastig glas Cyngor Llyfrau Cymru oedd ganddo fo o dan y bwrdd ac estyn potelaid o win ohono fo a gwlith y ffridj yn dal i dreiglo i lawr ei gwddw hir hi. Estynnodd gyllell boced ac mewn chwinciad roedd pen y caead plwm yn ei law a'r tynnwr cyrcs yn suddo i'r corcyn. 'Ond nid unrhyw Sansêr mo hon,' cofiwch. 'Dim ond potelaid o Bailly-Reverdy o Bue-les-Sancerre. Un o'r gwinoedd gorau yn Nyffryn y Loire.'

Daeth y corcyn allan fel tynnu bys o foch. Troes ambell un ei ben wrth glywed y sŵn cyfarwydd. Mewn dau funud roedd ganddo ni wydraid bob un o win gwyn oer yn ein dwylo.

'Hir oes i'r chwyldro!' meddai Hywal a tharo gwydrau hefo ni.

'Pa chwyldro?' meddwn i. 'Be ydi'r brotest yma oedda chdi'n sôn amdani gynnau, gyda llaw?'

'Dyma hi,' meddai Hywal gan ddal ei wydr uwch ei ben. 'Gwrthdystiad yn erbyn rheol sych yr Eisteddfod. 'Dan ni'n dangos bod diwylliant a mwynhad yn gallu cyd-fyw law yn llaw yng nghadarnla ola'r hen ddirwestwyr.'

''Dan ni newydd orffan deud yr un peth ar Radio Cymru,' meddwn i. 'Dwi'n siŵr na chafodd Daniel ddim bisgedi yn ffau'r llewod.' Estynnais am y botel i dywallt gwydrad arall.

Fel oeddwn i'n ei chodi hi dyma'r rheolwr atom a dweud fod y Steddfod yn daer yn erbyn diod ar y maes a bod dim hawl gynnon ni i'w yfed o yma o dan unrhyw amgylchiadau nac amodau.

'Wel ecsciws mi,' meddai Hywal Dimbach, 'ond tydi'r Steddfod ddim yn erbyn alcohol ac a dweud y gwir maen nhw'n torri'u boliau i gael bar ar y maes i helpu i dalu colledion y gorffennol. A beth bynnag, does yna'r fath reol na deddf yn bod sy'n nadu ichi ddŵad â'ch gwin eich hun i fwyty heb drwyddad. Oes yna rywun wedi cwyno'n bod ni'n yfed gwin yma? Mae hwn yn win safonol, cofiwch, nid sothach melys allan o focs.'

'Cwyno eu bod nhwythau isio gwin maen nhw,' cyfaddefodd y rheolwr.

Bu'n ddigon clên i adael inni gadw'r botal dan y bwrdd.

'Dim problam,' medden ninnau. Roedd y botel yn wag beth bynnag.

'Lle gawn ni un arall?' meddai Hywal.

'Gei di ryw Sansêr bach digon yfadwy yn siop Sbâr,' meddai Gwyn Bont gan astudio'r label. 'Fydd o ddim cystal â hwn, cofiwch.'

'Fydd o'n oer ac yn wlyb, yn bydd,' meddwn innau. 'A' i i nôl peth ar gefn fy meic.' Gafaelais yn y bag Cyngor Llyfrau.

'Tyd â dwy,' meddai Hywal gan estyn papur ugain o'i walad.

Erbyn imi gyrraedd yn ôl roedd y bwyd ar y bwrdd ac ambell un wedi hel o'i gwmpas fel gwenyn i bot jam wedi clywad hanas y gwrthdystiad.

'Sgin ti'm llawar o liw haul,' meddai Dei Congol y Wal a hwnnw'n sbio arna fi drwy gil ei lygadau. Hen hogyn sbeitlyd ydio'n gallu bod.

'Lle uffarn ti'n feddwl dwi 'di bod,' meddwn innau. 'Ar fy ngwyliau?'

'Est ti'n ôl yr ail dro,' meddai Congol y Wal. 'Mae'n rhaid fod yna ryw dynfa yna ichdi.'

'Gad lonydd iddo fo,' meddai Gwyn.

'Pam, be nei di, Gwyn Bont?' meddai Congol y Wal yn wawdlyd. 'Cadi ffan yn gwarchod y sowldiwr? Be sy, methu atab drostat dy hun, ia?'

'Gei di atab gin i ryw dro, Congol y Wal,' meddwn i'n dawal gan syllu i'w llgada fo. 'A gyda llaw, Gwyn ap Llwyd ydi o ichdi, ddim Gwyn Bont.'

'Cic allan gest ti, 'nde?' meddai Congol y Wal.

'Cer yn ôl i Manod, nei di,' meddai Gwyn Bont. 'Neu cau dy geg a chym lasiad o win.' Tolltodd lasiad iddo fo. 'Mae'r holl helynt yna'n Irac yn mynd yn ôl yn bell, wyddoch chi,' meddai. 'Yr Iancs a'r Brits yn y pum degau oedd y drwg yn y caws. Ddaru nhw drio newid y gyfundrefn yno'r adag honno hefyd, 'nôl yn un naw pum tri. Mae lludw'r goelcerth honno'n dew dros y Dwyrain Canol hyd heddiw.'

'Wyddoch chi fod gan y Rhyddfrydwyr fap mawr o Irac dros wal y stondin?' meddai Hywal. 'Mi fasa Wil Chips yma'n nabod y llefydd i gyd, mwn.'

'I be maen nhw isio map o Irac?' meddwn innau. 'Cefnogi 'ta gwrthwynebu'r rhyfal maen nhw?'

'Dwn i'm yn Duw,' meddai Hywal. 'Cynnig gwobr maen nhw i bwy bynnag sy'n rhoid ei groes ar y map a darganfod lle mae'r arfau dinistr torfol wedi'u cuddio.'

'Penna defaid,' meddwn innau. 'Gwleidyddiaeth chwarae plant. Ddim gêm ydi rhyfal. Cheith y diawlad mo 'mhleidlais i eto.'

'Chawson nhw erioed mohoni,' meddai Gwyn Bont.

'Dim ots,' meddwn i. 'Mi liciwn i weld y blydi stondin yna imi gael dweud wrthyn nhw be dwi'n feddwl ohonyn nhw.'

'Yma am yr wythnos, Wil?' meddai Huw Penmachno i droi'r stori.

'Diawl o beryg,' meddwn i. 'Un diwrnod yn yr Eisteddfod yn hen ddigon gin i. Sut mae pethau'n Penmachno?'

'Diawledig,' meddai Huw. 'Taswn i ond wedi mynd amdan y tŷ oeddan ni a'n llygad arno fo llynadd. Mae'r diawl lle wedi dyblu yn ei bris ers hynny. Tŷ teras dwy lofft wedi codi o dri deg pum mil i saith deg mil. Mond pobol ddiarth sy'n prynu acw erbyn hyn.'

'Felly mae hi 'mhobman,' meddai Hywal Dimbach.

'Mae hi'n waeth yng Nghwm Penmachno,' meddai Huw. 'Chi dacla'r Blaenau'n cwyno'ch byd o hyd ar ôl cau Traws. Tydach chi ddim yn gwybod ei hannar hi. Dwi'n cofio Taid yn sôn fod gynnon ni dri deg o siopau acw ar un adag, a chwe ysgol. Un ysgol sydd ar ôl a dim un siop. Aeth y bobol leol i ganlyn y gwaith. Wyddoch chi erbyn hyn mae holl dai y cwm yn llawn eto, ond does yna fawr neb ar ôl sy'n gwybod dim am ddiwylliant a iaith gynhenid y fro.'

'Tilsli gafodd y gadair am awdl i'r Cwm ym mhum deg saith dwi'n meddwl,' meddai Gwyn Bont. 'Llangefni oedd hi d'wad?'

'Ia, siŵr,' meddai Huw. 'Yn anffodus tydi tranc iaith ardaloedd fel Cwm Penmachno ddim yn bwysig i'n harweinwyr gwleidyddol ni.'

'Tasan ni'n forgrug neu'n swp o fwsog mi fasa 'na orchymyn cadwraeth arnon ni'n syth bìn,' meddai Hywal Dimbach. 'Mae hi ar ben ar Gymru, hogia bach. Be ddaru Thatcher mo'i ddinistrio mi geith o 'i orffan gan y Cynulliad. Dyna pam 'dan ni'n codi pac a'i throi hi tua Sbaen.'

'Mi fydd hi fel Cernyw yma cyn bo hir,' meddai Gwyn. 'Dim ond tri chan mlynedd yn ôl, pan oedd Edward Lhuyd yng Nghernyw, mi nododd enwau'r un deg pedwar o blwyfi lle'r oedd yr hen iaith yn fyw o hyd ar hyd yr arfordir o Ben-y-Wlad i St. Kevern. Ond doeddan nhw'n gweld dim gwerth i'r iaith achos roedd pawb yn medru Saesneg hefyd. Sawl gwaith ar hyd lan y môr yng Nghernyw y clywodd Edward Lhuyd y plantos a'r gwylanod mewn byd Cernyweg?'

'A'r lle heddiw fel Abarsoch ar ŵyl Banc,' meddai Huw Penmachno.

'Ia,' meddai Gwyn, 'ond be ydan ni haws â phoeni?' Edrychodd ar ei oriawr. 'Hei, Wil, lle fydd y Steddfod yn y flwyddyn dwy fil un deg pedwar?'

'Be ddiawl wn i,' meddwn innau.

'Yn unlla,' meddai Gwyn, 'achos fydd yna ddim Steddfod na Chymru na byd ar ôl erbyn hynny os ydi'r astronomegwyr yn gywir. Toes yna asteroid ar gwrs i daro'r byd ar yr unfed ar hugain o Fawrth y flwyddyn honno? Mae'r bwcis yn cymryd pres ar y peth i dalu allan ffortiwn pan gawn ni'n taro, achos fyddan nhw ddim yma ar ôl iddi landio, mwy na ninnau. Wyth miliwn gwaith yn gryfach na bom Hiroshima fydd y ffrwydrad, yr un fath â'r glec honno chwe deg pump o filiynau o flynyddoedd yn ôl laddodd y deinosoriaid.'

'Hawdd i chdi, a chditha'n byw yng Nghaerdydd, i boeni am y deinosoriaid,' meddwn i. 'Dim ots gin ti am be sy'n digwydd yng nghefn gwlad.'

'Mae 'na ddigon o ddeinosoriaid ar ôl yng Nghymru,' meddai Hywal. 'Fel y boi yna heb ben sy'n trio nadu i bobol gael lysh ar y maes.'

'Wyt ti am fudo dros y môr go iawn, Hywal?' meddwn i gan lenwi'i wydr o. 'Pam Sbaen yn eno'r Tad?'

'I osgoi Saeson,' meddai Hywal. 'Dwn i'm be 'dach chi'n gwyno am Stiniog a ballu, mae hi'n saith waeth yn Nyffryn Clwyd. Waeth ichi fod yng nghanol Lloegar ddim, 'blaw na fedran nhw ddim deud enwa'r llefydd. 'Dan ni am fynd yn ddigon pell cyn i'r plant sylweddoli eu bod nhw'n eilradd yn eu gwlad eu hunain.'

'Mae 'na fwy o Saeson yn Sbaen nag yng Nghymru,' meddai Dei Congol y Wal. 'Tydi'r lle'n berwi hefo nhw.'

'Ddim i Benidorm 'dan ni am fynd, washi,' meddai Hywal. 'Wedi cael hanes lle bach wrth y ffin hefo Portiwgal.'

'Mi fydd yna rai yn fan'no hefyd, gei di weld,' meddwn innau.

'Na fydd,' meddai Hywal dan wenu. 'Toedd o'n un o'r amodau rois i wrth lenwi'r ffurflen ar-lein: "Dim Saeson". "Dim problem, Señor", oedd eu hagwedd nhwythau. Fuon ni yno'n ddiweddar. Mae'r hen blant wrth eu bodd; fyddan nhw ddim chwinc yn dysgu'r iaith. Hen dŷ hefo gwaith adnewyddu arno fo, ond tydi hynny'n poeni dim arnom ni.

Mi gawn ni anghofio bob dim am yr Ymerodraeth Brydeinig wedyn.'

'Mae'r Sbaeneg yn iaith orthrymus hefyd, cofia,' meddai Gwyn. 'Does yna fawr o ieithoedd brodorol yn ffynnu'n ei sgil hi.'

'Pwy wyt ti, Syr John Morris-Jones?' meddai Hywal. 'Sbaeneg ydi'r *lingua franca* newydd, oedda chdi heb glywed? A beth bynnag, mae'r Basgwyr a'r Catalanwyr beth uffarn ar y blaen arnom ni yng Nghymru.'

'Cyn bellad nad oedd nelo'r tywydd ddim byd â'r dewis,' meddai Gwyn Bont wedyn. 'Achos mae hwnnw ar fin newid, yn Sbaen hefyd. Ac nid cnesu wneith hi ond mynd yn oerach.'

'Tyd laen 'ta, cysurwr Job,' meddai Hywal.

'Chlywsoch chi ddim fod cerrynt y gwlff ar fin newid?' meddai Gwyn a hwnnw'n troi o'r naill i'r llall ohonom gan ysgwyd ei ben yn ara deg. 'Mae'r holl focha 'dan ni'n ei wneud o ran yr hinsawdd yn cael effaith ar y llif sy'n gyrru'r dŵr cynnas tuag atom. Tua thair mil o fetrau o dan y rhew yn ymyl yr Ynys Las – *Grønland* i chdi, Wil – mae'r dŵr hallt i fod i suddo a chodi dŵr croyw i'r wynab yr un fath â phwmp. Ond mae o'n dechra methu suddo oherwydd yr holl rew croyw sy'n dadmar ers tua deng mlynedd rŵan. Nid cnesu fyddwn ni ffordd hyn ond oeri mae arna i ofn.' Eisteddodd yn ei ôl a phlethu'i fysedd dros ei ganol main gan syllu tua'r nenfwd. 'Mae'r ysbaid braf sydd wedi para deng mil o flynyddoedd ar fin dŵad i ben. Mae'r ysbaid gynnas sydd wedi caniatáu i wareiddiad ffynnu ar fin gorffen a chan mil o flynyddoedd o oerfal trybeilig ar ein gwarthaf.'

'Dim bwys gin i,' meddwn innau. 'Fedrith o ddim bod

dim gwaeth na be sgin i rŵan. Geith yr holl fyd ddŵad i ben fory â chroeso. Tydio'm gwerth ei gael.'

'Mi liciwn innau godi pac a dechrau eto mewn lle newydd,' meddai Huw Penmachno.

'Man gwyn, man draw,' meddai Hywal Dimbach.

'Hei Wil,' meddai Congol y Wal, 'pam nad ei di ar herw i ben y Migneint fel y gwylliaid erstalwm? Ddylis i dy fod ti'n ddigon o gomando i fyw ar lus a dŵr cors am oes pys.'

'Cau hi, cyn imi dy sodro di,' meddwn innau.

'Dyhead pobol ar hyd yr oesoedd ydi denig i le gwell,' meddai Hywal. 'Dyna sut aeth pobol o Affrica i bedwar ban byd. Dyna sy'n gyrru'r diwydiant ffoaduriaid ledled y byd. Gobaith am le gwell. Dyna sy'n gyrru *Mojados* drwy'r anialwch o Fecsico dros y ffin i farw o syched yn llygad yr haul.'

'Pwy ydi'r *Mojados*?' meddai Huw Penmachno.

'Ond y "cefnau gwlybion",' meddai Hywal. 'Pan oeddwn i'n Arizona tua deng mlynedd yn ôl, ar y ffordd i Tucson ar *Interstate-8* mi ges i hanes un ohonyn nhw o lygad y ffynnon.'

'Ymadrodd eironig braidd,' meddai Gwyn Bont.

'Tyd â fo 'ta,' meddwn innau ac estyn am y botal win.

'Miguel oedd ei enw fo,' meddai Hywal. 'Roedd o wedi cychwyn o safle bysiau anghysbell ychydig filltiroedd i'r de o'r ffin. Roedd o'n teithio ar ei ben ei hun. Roedd o'n gwisgo cap *Houston Oilers* ar ei ben a phâr o *huaraches,* fflachod lledar Mecsicanaidd, am ei draed. Cychwyn am y gogledd, tuag at y ffin, ac anialwch anferth Arizona yr ochor draw. Yn ei sach gefn roedd ganddo fo ddau alwyn o ddŵr mewn poteli plastig, tuniad o tsilis ac ychydig o *tortillas* i'w gynnal ar ei daith o bedwar deg pum milltir. Ganol haf bydd dyn yn lwcus i bara pedair awr ar hugain heb ddŵr mewn lle felly. Dyna ddywedodd un o warchodwyr y ffin wrtha i. Erbyn y diwedd maen nhw'n troi mewn cylchoedd. Maen nhw'n tynnu amdanyn i geisio oeri, ond cyflymu'r sychu mae hyn yn ei wneud wrth i'r chwys anweddu oddi arnyn nhw. Hyd at y diwedd un byddan nhw'n dal i gropian fesul modfedd, yn dal i chwilio am ddŵr, nes troi fel torch ar lawr. Mae'u cyrff nhw fel rhesins, yn dduon ac wedi crebachu i gyd a'r tywod o'u cwmpas wedi'i gorddi'n rhacs.

'Does yna ddim ffens na ffos i ddangos y ffin, dim ond tomen bach o gerrig a hen bolyn rhydlyd yn yr anialwch. Mae hen botel Tequila wag ar ben y cerrig, ac mae rhai wedi torri eu henwau yn rhwd y polyn: Juan, Felix, Luis. Ychydig lathenni i'r gogledd mae darn o goed plei a'r llythrennau USA wedi'u paentio arno.

'Mae'n rhaid ei fod o wedi pasio fan hyn ganol y pnawn, gan gerdded ar hyd ochor ddwyreiniol mynyddoedd y Tinajas Altas, ac i'r gogledd-ddwyrain wedyn ar draws Anialwch Lechuguilla, gan anelu am y bwlch rhwng dau fynydd pell, y Bwlch Mawr. Wrth groesi ffordd lychlyd o bridd fe dynnodd ddail ar ei ôl i guddio'i lwybr. Erbyn machlud haul roedd o allan tua gwastadeddau creosot Lechuguilla yn baglu yn nhyllau'r cnofilod, yn gwylio rhag nadroedd wysg eu hochrau, dyn unig yn symud heb sŵn ar draws cefndir enfawr yng ngolau'r lleuad.

'Cerddodd drwy'r nos, drwy'r Bwlch Mawr ac allan i Ddyffryn Mohawk a'r twyni tywod. Ugain milltir i ffwrdd gallai weld goleuadau *Interstate 8* (I-8). Roedd o'n dal i wylio am nadroedd wysg ochor ond *la migra* oedd o'n ei ofni fwyaf, patrôl y ffin. Erbyn hanner dydd drannoeth roedd o wedi cerdded tri deg milltir, a phymtheg i fynd.

Roedd hi'n bedwar deg gradd canradd yn y cysgod. Yr unig gysgod ar yr anialwch oedd yr un daflai adenydd chwe throedfedd o hyd y fwlturiaid wrth i'r rheini gylchu'n araf uwch ei ben. Pan fydd dyn yn marw o syched yn yr anialwch mi lenwith ei geg hefo tywod fel pe bai'n ceisio sugno ryw wlybaniaeth ohono.

'Roeddwn i'n gyrru'n ôl i Tucson ar hyd *Interstate-8* pan stopiais yn Ardal Orffwyso Mohawk, clwstwr o doiledau, bocsys gwerthu sothach, teleffonau a byrddau picnic. Gwelais ddyn esgyrnog, tal wrthi'n llenwi potel blastig wrth y tap cyhoeddus. Roedd ganddo drawswch main llwyd a llygaid brown wedi suddo i'w wyneb. Roedd ei ddillad yn garpiog, roedd ganddo *huaraches* am ei draed a chap *Houston Oilers* ar ei ben.

'Pwyntiais i'r de ar draws yr anialwch. Ddywedodd o 'run gair o'i ben.

'"*Tiene hambre?*" gofynnais iddo. Wyt ti isio bwyd?

'Es i nôl ychydig o gig sych o'r car a grawnffrwyth a chwrw cynnes.

' "Pam wnest ti groesi ar draws yr anialwch?" holais. "Fedret ti fod wedi marw'n hawdd."

' "Sbia arna fi," meddai Miguel. "Tydw i ddim wedi marw a thydw i ddim ym Mecsico."

'Fydda i'n meddwl yn amal be ddaeth o'i hanes o wedyn,' meddai Hywal gan amneidio ar un o'r gweinyddesau a gofyn am y bil. 'Ddaru o ganfod y freuddwyd Americanaidd ynteu marw'n y gwter?'

Roedd pawb fel tasan nhw wedi colli diddordab. Es innau i sbio ar y darn Siop i weld be oedd gynnyn nhw. A dyma fi'n agor fy llgadau'n fawr wrth weld llond silff o Fodca a Jin o Aberhonddu a dyma finnau â photelaid at y cowntar.

'Sori, bach, fi'n ffili gwerthu hon i ti,' meddai'r eneth oedd yn serfio.

'Pam?' meddwn innau. 'Dwi ddim o dan oed.'

'Nage, sdim ono fe ar werth,' eglurodd.

'Be ydi pwrpas 'u rhoi nhw allan 'ta?' holais. "Nac arwain ni i brofedigaeth" medd y Testament Newydd. Tydi hyn ddim yn deg.'

Ond mynd â'r Jin yn ôl at y silff fuo'n rhaid imi. Dyna pryd sylwis i ar yr arwydd 'DIM AR WERTH'. Doedd yna ddim byd ynglŷn â dwyn, serch hynny, ac er ein bod ni'n y Steddfod, i'r bag Cyngor Llyfrau yr aeth hi'n ddiseremoni heb i neb sylwi.

Es i'n ôl at y cownter. 'Ydach chi ddim yn gwerthu tonic mae'n siŵr?' holais. Ysgydwodd yr eneth ei phen.

Dywedodd Gwyn Bont ei bod hi'n hwyr glas iddo fynd i draddodi'r araith. Dwi ddim yn siŵr oedd o wedi cadw'i feddwl yn glir neu beidio at yr achlysur. Mae'n rhaid nad oeddwn *i* ddim, beth bynnag, achos cytunais i fynd hefo fo. Felly'n ôl â ni heibio Bwrdd yr Iaith a'u paneidiau dwyieithog wedi eu noddi gan Tescos, a heibio'r Cynulliad a'r offer coginio'n segur am y tro, draw yn ymyl y Banc lle roedd Paball y Cymdeithasau. Eisteddais yn yr ail res tua'r canol. Doeddwn i heb ystyried ei bod hi'n haws denig os wyt ti'n ista'n y cefn yn ymyl drws argyfwng. Doedd neb isio ista'n y rhes flaen am ryw reswm. Wyddwn i ddim am be oedd y sgwrs i fod achos anghofiais holi. Llond dwrn oedd wedi cyrraedd i wrando ar y Prifardd, ac roedd rhai o'r rheini a golwg arnyn nhw na fasa fawr o ots be fasan nhw'n gwrando arno fo; fasan nhw ddim callach.

Wedi cyflwyniad hirwyntog gan y cyflwynydd,

gwahoddwyd Gwyn ap Llwyd i ddŵad ymlaen a chafodd gymeradwyaeth. Camodd i ffrynt y llwyfan a tharo swrn o bapurau ar y ddesg ddarllan. Tasa fo'n gwisgo sbectol dwi'n siŵr y basa fo wedi ei gwthio i flaen ei drwyn ar y pwynt yma a chodi'i ben at y gynulleidfa, ond tydio ddim a wnaeth o ddim chwaith, dim ond dechrau darllan o'i nodiadau. Fasa fo byth yn gwneud darllenydd newyddion achos pur anamal oedd o'n codi ei ben i sbio arnon ni, dim ond dal ei drwyn yn ei bapurach rownd y bedlan.

'Echdoe bu farw iaith arall,' meddai. 'Bu farw Carlos Westez, neu Cwmwl Taran Goch fel y'i gelwid gan amla, yn saith deg chwech oed.' Cododd ei ben i weld oedd ei sylwadau agoriadol wedi creu argraff, ond cyn bellad ag y gwelwn i doedd neb ddim callach am be oedd o'n sôn.

'Siaradwr olaf yr iaith Gatawbeg oedd Cwmwl Taran Goch,' meddai wedyn. 'Roedd o'n gwybod holl ganeuon hela, salmau cân a hwiangerddi'r Gatawbeg ar ei gof, ac mi godwyd ei wybodaeth ar dâp gan Amgueddfa'r Smithsonian.' Edrychodd o'i gwmpas eto. 'Ond pwy o ddifri fydd eisiau'u clywad nhw eto? Efallai y daw rhyw lyfrbryf heibio hefo geiriadur, ond i be? Mae'r iaith wedi marw.' Edrychodd ar ei nodiadau am ennyd. 'Mae'i gi o'n fyw o hyd,' meddai. 'Cwmwl Bach ydi'i enw fo yn y Gatawbeg, ond tydi ci uniaith Catawbeg ddim yn mynd i achub yr iaith.' Dwn i ddim oedd Gwyn yn disgwyl inni chwerthin, ond ddaru neb wneud, beth bynnag.

'Mae yna chwe mil o ieithoedd yn y byd,' meddai'n ffrwcslyd braidd. 'Dim ond deg y cant ohonyn nhw sydd hefo dros hanner miliwn o siaradwyr. Wyddoch chi fod dros gant o ieithoedd yn dal yn fyw yng Ngogledd America hyd heddiw?' Doedd y newyddion hyn ddim i'w weld yn syfrdanol iawn i'r gynulleidfa. O ran cynulleidfa, roedd llawer ohonyn nhw erbyn hyn yn sbio ar ei gilydd ac ar eu watsys ac ar y drws.

'Aeth anthropolegwr i godi sgwrs rhwng dau frawd o'r enw Dan a Sidney Motahoac, siaradwyr olaf eu hiaith, ger Montréal yn ddiweddar,' meddai Gwyn. 'Ar y ffordd adref cafodd eu gyrrwr ddamwain a lladdwyd un o'r brodyr. Mae sgwrs olaf un yr iaith honno ar gof a chadw felly, er bod cyfarpar codi llais dan wely Dan at pan fydd o'n siarad yn ei gwsg.' Roeddwn i'n dechrau amau fod Gwyn yn dechrau colli'i ffordd hefo'r sgwrs, yn enwedig wrth ei weld o'n turio fel daeargi drwy'i nodiadau.

'Mae'r rheini sydd wedi methu dysgu iaith arall yn honni ei fod o'n beth anodd,' meddai gan edrych i fyny fel yr oedd tri yn y rhes gefn yn ceisio cerddad allan ar flaenau'u traed. 'I bawb ohonom ni sy'n ddwyieithog mae hynny'n dwp, tydi? Agwedd ydi'r peth, nid geirfa. Statws yr iaith yn ei pharthau dominyddol sy'n pennu'i gobaith am barhad.' Dwi'n amau fod pawb ar goll erbyn hyn ac yn 'difaru iddyn nhw dwllu'r Babell ar bnawn mor grasboeth. O ran parch allwn i ddim gadael, ond mi allwn hepian cysgu. Hyd yn oed wedyn roedd ei eiriau'n suddo ataf fel sŵn gwenyn diog.

'Nid i lwyth y Catawbiaid y ganwyd Cwmwl Taran Goch ac nid ei famiaith mohoni. Ond bu'n ymweld droeon â'r diriogaeth frodorol yn Ne Carolina ac fe'i trwythodd ei hun yn yr iaith a'r traddodiadau. Llwyddodd y caneuon a recordiodd i ennyn diddordeb eang ym miwsig brodorol America. Teithiodd i Lydaw unwaith a chodi wigwam a dweud straeon.

'Mae o wedi mynd ac mae'r iaith yn ei bedd. Dim bwys gynnon ni am ieithoedd eraill, dim ond am ein hiaith ein hunain. 'Dan ni'n dallt erbyn hyn fod morgrug sy'n croesi'r lôn yn bwysicach na'r pentrefwyr, ac un mab anghyfiaith yn gallu atal traffig ym Mhen Llŷn. 'Dan ni'n gweld ystyriaethau i bob ystlum a phenglog. Mor bwysig ydi iechyd a diogelwch. Heblaw am iechyd y Cymry fel cenedl. Oglau pres ydi Zyklon B y trydydd mileniwm.

'Rhagrith ydi'r holl ddagrau am ddifancoll ieithoedd. Maen nhw wrth eu bodd. Tydi'r uniaith ddim yn gallu amgyffred byw drwy iaith heblaw eu hiaith nhw, am resymau amlwg. Tydi'r rhai sy ddim yn gallu nofio ddim yn gallu amgyffred rhyddid y dŵr. Tydi'r rhai na welodd yr haul ar Grib Goch a honno dan eira ddim yn codi'n ddigon bora neu ddim yn licio mynydda.' Roeddwn i'n synhwyro ei fod o ar fin ei cholli hi'n gyfan gwbl erbyn hyn ac mi roddais besychiad hegar a dechrau chwifio fy mysedd o dan fy ngên fel arwydd i'w thorri yn ei blas ond ymlaen yr aeth o heb sylwi arna i.

'Pan fydd y rhieni'n peidio â throsglwyddo iaith i'w plant mae hi ar ben arni. Dyna ddigwyddodd yn Iwerddon a Llydaw. Yn Alasga dim ond dwy o'r ugain iaith frodorol sy'n cael eu trosglwyddo i'r plant, ac yng Ngogledd America gyfan dim ond 38 iaith allan o 187 sydd ar wefusau plant bach. Yn Awstralia mae 90 y cant o'r ieithoedd brodorol ar eu ffordd i'r fynwent am yr un rheswm. Ni all iaith ffynnu heb gymunedau lle mae hi'n iaith naturiol i drwch y boblogaeth. Mae tri pheth yn bosib o ran pam nad ydi'r Cynulliad yn gwneud dim am hyn: tydyn nhw ddim isio dallt, tydyn nhw ddim isio coelio neu tydyn nhw'n poeni dim achos Saesneg ydi iaith eu plant nhw beth bynnag.' Cododd Gwyn ei ben o'i bapurau fel yr oedd grŵp bychan o ddiflasedigion wrthi'n sleifio drwy'r drws cefn gan adael ychydig o hen bobol fyddar, tri Llydawr, dyn mewn siwt frethyn a thei batrwm tartan a finnau.

'O dan groen pob iaith mae yna raglen drefnus fiolegol sy'n ffurfio'n ara deg ac yn ddiarwybod ym meddwl y plentyn bach,' meddai Gwyn. Roeddwn i'n synnu at ei wybodaeth a fyntau rioed wedi bod yn dad. Ond darllan am bethau fydd Gwyn yn hytrach na'u profi, am wn i.

'I ddechrau, fydd plentyn ddim yn sylweddoli fod synau'n gallu bod yn enwau ar bethau. O gwmpas y deunaw mis fydd y plentyn yn croesi trothwy'r enwau, lle mae pob dim yn cael ei enw ei hun. Dilynir hyn gan ffrwydrad geiriol, a dau neu fwy o eiriau'n cael eu rhoi wrth ei gilydd, ac mae iaith yn cael ei chreu: "cyw'n dal pry neidar" am lun aderyn yn tynnu pry genwair o'r pridd, "peth cwch" am angor, "einosorys" am ddeinosor, "ocsoffys" am octopws ac yn y blaen. Erbyn y bydd yn dair a hanner oed bydd wedi cymathu'r rhan fwyaf o ffurfiau iaith oedolion. Erbyn bydd o'n ei arddegau cynnar bydd iaith y plentyn ac iaith ei rieni'n cystadlu hefo'i gilydd am statws. Daw'r plentyn â geiriau newydd i'r fei, geiriau benthyg, cysyniadau newydd. Mewn cymdeithas ddwyieithog mi fydd y ddwy iaith y mae'r plentyn yn eu siarad yn cael eu chwarae yn erbyn ei gilydd a'u cydblethu a'u datod yn ddi-baid.

'Mewn astudiaeth ym Mhrifysgol Miami mae Kimrough Oller a'i gydweithwyr wedi profi fod plant dwyieithog yn meddu ar amgyffrediad uwch na'u cyfoedion uniaith. Mae plant bach yn gallu cymathu ieithoedd yn rhwydd yn ystod eu blynyddoedd meithrin. Mae'r ysfa i gyfathrebu'n goresgyn pob rhwystr, yn anwybyddu pob ffin ac yn symud o genhedlaeth i genhedlaeth mor gyson â'r llanw, mor dreiddgar â'r glaw.'

Cododd Gwyn ei ben eto o'i bapur a tasa gynno fo sbectol dwi'n credu y basa fo'n ei thynnu oddi ar ei drwyn ar y pryd yma, ond sgynno fo ddim un. Roedd y dyn hefo'r siwt a thei yn syllu'n syth o'i flaen. Roedd y tri Llydawr yn sibrwd ymysg ei gilydd a finnau, er mawr cywilydd imi, yn hepian cysgu. Fesul un dyma'r pump ohonom yn dechrau curo'n dwylo. Roedd pawb arall wedi llwyddo i ddianc.

Daeth dyn hefo bathodyn ar ei frest i'r llwyfan a chynnig diolchiadau. O fewn dim roeddwn i yn yr awyr iach eto dan haul tanbaid yn rwbio fy llygadau. Roedd Gwyn wedi aros i siarad hefo'r Llydawyr; mi wyddwn y byddai yno am beth amsar. Wn i ddim eto be oedd teitl ei sgwrs o nag am be oedd hi'n sôn.

PENNOD TRI

Roedd yna wrych mawr ar ben clawdd rhyngof a'r darn arall o'r maes a methais ddod o hyd i adwy am hydoedd. Es i eistedd am blwc ym môn y clawdd y tu ôl i un o'r llefydd arlwyo a chymryd jòch o'r jin i'm dadebru. Draw wedyn rhwng Asiantaeth Safonau Bwyd Cymru ac S4C dyma fi'n cael hyd i'r agoriad i'r maes pella a mynd drwyddo. Ar y chwith imi be welwn i ond y babell wyddoniaeth ac i mewn â fi.

Llond y lle o'm blaen o gyfarpar cyfrifiadurol ac ati. Ges i sgrin rydd a logio i mewn i *hotmail* i godi negeseuon rhag ofn fod yna rywbeth gan y plant. Mae'n siŵr iddi stopio nhw fynd ar y rhyngrwyd neu rywbeth. Ella fydd ganddyn nhw hawl i yrru neges o'r peiriant yn eu hysgol newydd ddechrau Medi. Dyma finnau'n ailagor y dwytha o'u negeseuon nhw. Bron i bedwar mis yn ôl.

Mawrth, 15 Ebr 2003 12:40:01

Annwyl Dad,

Diolch am y llun ohona chdi yn yr anialwch. Mae'n siwr ei bod hi'n boeth iawn yno. Mae hi'n braf yma hefyd ond ddim mor boeth. Mae Sion wedi cael row yn yr ysgol am fod yn ddigwilydd hefo'i athrawes. Ydio'n wir bod y rhyfal wedi gorffan rwan? Rydan ni'n cael mynd ar ein gwyliau i'r Alban adag gwyliau'r Pasg. Plis tyd adra mewn pryd i ddod hefo ni.

lot o swsys gan Bethan a Sion,
xxxx

Wnes i ddim edrych yn ôl ar y rhai cyn hynny. Roedd darllan y geiriau'n codi'r felan arna i. Y petha bach diniwad yn meddwl eu bod nhw'n cael mynd ar wyliau. Toedd y gnawas wedi amseru pob dim yn berffaith? Roeddwn i'n clywad fy ngwaed yn dechra berwi eto ac mi gaeais *hotmail* a mynd i sbio ar safla fy nghyn-gatrawd i weld gawn i ryw oleuni gwell ar fy sefyllfa. Roeddwn i wedi cael hyd i'r adran yma o'r blaen ond heb ei studio hi'n ofalus. Cliciais ar y ddolen 'Priodi' i gael gweld mwy:

Priodi – Cyflwyniad
Mae'r Fyddin yn cydnabod fod bywyd milwrol yn creu straen ar fywyd teuluol uwchlaw'r hyn a geir mewn bywyd bob dydd. Mae nifer o fesurau mewn lle i ddal dan deuluoedd milwrol sy'n cydnabod lle hanfodol y teulu ym mywyd ein personél.

Golyga natur bywyd y Fyddin fod milwr yn gorfod derbyn weithiau gael ei anfon ar gylchdaith heb ei deulu, naill ai ar gyfer ymarferion neu ar ddyletswydd i ymladd neu i gadw'r heddwch i unrhyw ran o'r byd. Gall hyn fod am ychydig wythnosau neu hyd at ddeuddeg mis o amser ar y tro. Nid yw aelodau'r teulu'n cael ymuno pan fo aelod o'r fyddin ar ddyletswyddau o'r fath gan nad oes cyfleusterau ar eu cyfer.

Problemau Priodasol
Gall problemau priodasol ddigwydd mewn bywyd sifil a bywyd milwrol fel ei gilydd. Mae'n bwysig i'r rhai sy'n eu cael eu hunain mewn sefyllfa o'r fath i gofio nad ydyn nhw ar eu pen eu hunain. Mae cymorth parod wrth law, o ffynonellau milwrol a sifil, a dylid ei geisio mor fuan ag sy'n bosibl oherwydd gall gweithredu buan gael effaith ar ddyfodol y rhai dan sylw.

Ffynonellau Cymorth

Lle bynnag y mae'r chwalfa briodasol yn digwydd, mae'n bwysig i ddewis un person i weithredu ac i gynghori er mwyn osgoi dyblygu ymdrech. Eu nod fydd cynghori a rhoi cymorth gyda pha bynnag gamau yr hoffai'r cwpwl eu cymryd, boed hynny'n gais i gymodi ynteu'n benderfyniad i wahanu. Gall y rhesymau am broblemau mewn perthynas fod yn niferus ac yn amrywiol. Gall argaeledd cymorth parod a chyngor ymarferol prydlon fod yn hanfodol er mwyn sicrhau dyfodol y berthynas. Gweler y llyfryn *Dygymod gyda Chwalfa mewn Priodas*.

Roeddwn i wedi hen sylweddoli erbyn hyn mai atab y fyddin i unrhyw broblemau personol oedd hwrjio llyfrynnau arna chdi. Roedd ganddyn nhw bamffled ar gyfar pob achlysur. Be ddiawl oedd pethau felly'n da i mi? Yn y bôn, doeddan nhw ddim isio gwybod. Rhois glic ar y ddolen nesa.

Y Cartref

Mae llety'n cael ei ddarparu i deuluoedd aelodau o'r Fyddin fel rhan o swydd y cymar ac fe'i preswylir dan drwydded. Mae'r llety teuluol ar gael i bersonél priod, felly os yw'r milwr yn newid ei statws o fod yn briod gyda chymar i fod yn briod heb gymar trwy arwyddo'r ffurflen *AFO 1700* bydd camau'n dilyn i adfeddiannu'r eiddo. Mae'r drefn o ran achosion o chwalfa briodasol ac adfeddiannu eiddo yn sgil hynny yn eithaf manwl. Ceir crynodeb isod:

Gall y Prif Swyddog ganiatáu cyfnod 'claearu' o hyd at 3 mis er mwyn ceisio cymod. Yn ystod y cyfnod hwn bydd y milwr yn symud i lety sengl ond yn dal i dalu costau llety teuluol dros ei deulu.

Os na fydd cymod yn bosibl bydd gofyn i'r milwr newid ei statws priodasol trwy arwyddo'r ffurflen *AFO 1700*. Gall y teulu aros yn y llety teuluol am gyfnod 'defnyddio a phreswylio' o hyd at 93 diwrnod a'r milwr yn talu'r costau.

Ar gychwyn y cyfnod 93 diwrnod, bydd y cymar nad yw'n gwasanaethu'r Fyddin yn derbyn Rhybudd i Adael. Bydd hyn yn hysbysu'r cymar o'r bwriad i adfeddiannu'r eiddo ar ôl 93 diwrnod ac os bydd yn aros yn yr eiddo wedi'r cyfnod hwn bydd yn cael ei chofrestru neu'i gofrestru fel Preswyliwr Afreolaidd ac yn agored i dalu costau pris y farchnad am ddefnyddio'r llety a elwir 'lawndal am Dresmasu'. Gall y Rhybudd i Adael gael ei ddefnyddio gan y cymar i hysbysu'r Awdurdod Lleol lle bynnag y dymuna ymsefydlu o'i statws digartrefedd sydd ar ddod.

Fuodd gen i ddim dewis ond arwyddo'r ffurflen *AFO 1700* er mwyn i'r wraig a'r plant gael llety gan yr Awdurdod Lleol. Gwaetha'r modd, Glasgow oedd yr Awdurdod yn hytrach na Gwynedd. Mynd yn ôl at ei theulu i'r Alban. Cael rhandy mewn tŵr uchel ar gyrion y ddinas. Dwi'n cofio 'nghanol yn suddo wrth stopio'r car y tu allan a gweld y fath le anial, dienaid. Dwi'n gwybod mai yn Swydd Efrog oeddan ni tan hynny, ond o leia roedd yna goed a chaeau ac adar yn canu.

Dau glic arall ac oeddwn i ar dudalen holi ac ateb. Dim ond dau gwestiwn oeddwn i isio atebion iddyn nhw. Darllenais y geiriau'n araf wrth dynnu'r llygoden i lawr ochr dde'r sgrîn:

'*A gaf fy erlyn am gipio fy mhlant?*'
'Mewn dau achos:

'Un, pan fo gan y naill riant hefo hawliau gwarchodaeth a'r llall hawliau ymweld, a'r llall yn cadw'r plentyn yn anghyfreithlon a heb ei ddychwelyd i'r naill. Ystyrir hyn fel achos o Gipio Syml.

'Dau, pan eir â'r plentyn dramor a'i gadw a'i gymryd yn anghyfreithlon. Bydd hyn yn arwain at Achos o Gipio a bydd angen deisebu am ddychweliad y plentyn yn unol â Chytundeb yr Hâg 1980, mewn perthynas ag agweddau sifil o ddeddf ryngwladol cipio plant. Yn y ddau achos, y Barnwr fydd yn diffinio'r trosedd.'

'*Dwi'n talu i gynnal fy mhlant, ond nid yw'r fam yn gadael imi eu gweld. Be ddylwn ei wneud?*'

'Pwy bynnag sy'n cydymffurfio â'i oblygiadau fel rhiant, bydd ganddo hawl ymweld â'i blant, drwy gymod neu drwy ddyfarniad barnwrol yn unol â Chymal 150, Cymal 31 Paragraff 2 a Chymal 72 Côd y Plant. Mae sawl tad sy'n ceisio hawl llys i weld ei blant mewn achosion o ysgariad yn cael ei gyhuddo o drais ar yr aelwyd gyda'r honiad ei fod yn risg i'w blant.

'Mae ymgyrchwyr dros ddiogelwch plant wedi dogfennu llawer achos o dadau treisgar yn ennill hawliau ymweld ac yna'n achosi niwed neu'n lladd aelodau o'r teulu. Dros yr wyth mlynedd diwethaf mae o leiaf 19 o blant wedi eu lladd gan eu tadau mewn sefyllfa o'r fath. Maen nhw'n cynnwys pedwar plentyn Claude Mubiangata, yr un ieuengaf yn dair oed. Wedi ei gloi ei hun yn ei gar hefo'r plant fe roes y cerbyd ar dân.

'Galwn ar y Llywodraeth i sicrhau nad yw'r llysoedd yn caniatáu cysylltiad gyda rhiant sydd wedi ei brofi i fod yn dreisgar o fewn y teulu,' meddai llefarydd ar ran Cymdeithas Atal Creulondeb i Blant.

Roedd y geiriau'n nofio o flaen fy llygadau. Mae hi'n gwybod na faswn i byth yn cyffwrdd pen fy mys yn yr un blewyn o'u pen. A finnau wedi cyfaddef i mi ei tharo hi unwaith. Pwy fasa'n coelio imi wneud o i'm hamddiffyn fy hun? Mae hi'n gwybod y byddaf i'n dad da iddyn nhw, gwell nag y mae hi o fam iddyn nhw yn sicr. Dwi'n gwybod y gwela i mhlant eto, mi gwela i nhw'n fuan ac yn amal, mi gwela i nhw bob dydd a'u danfon nhw i'r ysgol. Dwi'n gor'o credu hynny. Heb gredu hynny does yna ddim byd i'm cynnal o fore gwyn tan nos.

Roeddwn i'n dechrau cael llond bol ar jargon y wefan; dim ond un clic arall, meddwn i. Gael imi weld be ddaru nhw sgwennu amdanon ni. Ges i hyd i adran am fy Nghatrawd ymysg hen adroddiadau BBC Cymru ar-lein. Gwynebau cyfarwydd a'u llygaid yn pefrio. Finnau'n cofio'r cyffro ddaru ni deimlo pan gawson ni wybod ein bod ni'n mynd. A'r ofnau hefyd. Ond antur fawr oedd y cwbwl yn y bôn, yn enwedig i'r hogia fenga, ac wedi'r gwaith gweitsiad roedd pawb ar bigau'r drain isio cael cychwyn. Sŵn ein bwtsias yn taro'n galad ar y concrid a rhewynt y bora bach yn llosgi'n bochau dan y goleuadau gwynion.

'Dydd Iau, 6 Chwefror, 2003, 16:44 GMT
'Milwyr Cymreig yn cychwyn am y Gwlff

'Naw deg milwr o Warchodlu Dragŵn y Frenhines, catrawd Gymreig gan mwyaf, yn gadael eu barics yng Nghatraeth, Swydd Efrog, ar gyfer RAF Brize Norton yn barod i adael am Coweit fel rhan o'r flaengad mewn unrhyw ymgyrch yn erbyn Irac. Sefydlwyd y Gwarchodlu gan Iago'r Ail yn 1685 ac mae'n cynnwys milwyr o Gymru, Swydd Henffordd a Swydd Amwythig. Mae'r Gatrawd o 600 milwr, "Y Cafalri Cymreig" fel y'i gelwir weithiau, yn arbenigo mewn cyrchoedd sgowtio ar faes y gad ac ar hyd y llinell flaen. Mae'r alwad yn dilyn blwyddyn o hyfforddi caled, yn cynnwys ymarferion yng Nghanada. Yn eu hugeiniau cynnar mae'r rhan fwyaf o'r dynion, ond dywed eu Prif Swyddogion eu bod yn barod at ryfel. Dywed yr Uwchgapten Anthony Pittman, Dirprwy Bennaeth y Gwarchodlu: "Dwi'n hyderus eu bod nhw'n hollol barod ar gyfer yr ymfyddiniad."

'Hon fydd ymgyrch dramor gyntaf Marchfilwr Clayton Griffiths, 19, o'r Rhyl, sydd wedi bod hefo'r Gwarchodlu ers tair blynedd. "Dwi'n bryderus, ond mae gynnon ni lot o hogia da, mi ddyla bob dim fod yn iawn," meddai. "Mae'r hogiau hŷn wedi dweud y bydd pethau'n ocê. 'Dan ni ddim yn gwybod wneith Saddam Hussein ddefnyddio arfau dinistr torfol ac mae meddwl am arfau cemegol yn ddigon â dychryn neb."

'Dywedodd Corporal Gavin Davies, "Mae Mam yn poeni. Tydi hi ddim yn gwybod be sy'n mynd ymlaen heblaw be mae hi'n weld ar y newyddion."

'Bu'n rhaid i Dewi Pritchard, 26 oed, ganu'n iach â'i wraig Ffion a'i ferch fach saith wythnos oed. "Dwi'n teimlo'n ofnadwy am adael fy merch a'm gwraig. Maen nhw wedi dychwelyd i Benllach i fod hefo'i theulu. Roedd gen i deimlad y bydden ni'n cael ein hanfon allan, ond mae wedi bod yn syndod o sydyn."

'Bu Corporal William "Chips" Roberts, 33 oed, o Flaenau Ffestiniog, eisoes ar wasanaeth gweithredol yn Bosnia, Rwanda ac Affganistân. "Mae'n anodd gadael y plant," meddai. "Ond dwi wedi bod i'r rhan honno o'r byd o'r blaen a dwi ddim yn rhy bryderus."

'Ni welodd Gavin Griffiths na Paul Pritchard wasanaeth gweithredol o'r blaen. "Dan ni'n hapus i gael y cyfle yma i roi ein hyfforddiant ar waith," meddent.'

Roedd yr hogia'n gwenu ac yn codi bawd ar y camra. Dacw Dewi druan yn gwenu fel giât yn ei lifrai newydd. Doedd y cradur fawr o feddwl na welai o mo'i wraig na'i blant byth mwy. Doeddwn innau fawr o feddwl na welwn i mo 'mhlant. Ond o leia mi dwi dal yma i gwffio amdanyn nhw'n eu hôl.

Tynnais y llgodan i lawr y sgrin i weld be arall oedd ganddyn nhw amdanom ni. Gweld gwynebau'r hogiau'n chwysu dan eu helmedau. Cofio'r gwres yn ein taro nes bron â'n llorio a ninnau'n camu o'r awyren i darmac y maes awyr. Cofio'r tywod yn ein llgadau a'n cegau ac ym mhob man.

'Dydd Iau, 20 Chwefror, 2003, 17:34 GMT
'Cymry mewn storm dywod yn y Gwlff

'Y Cafalri Cymreig, sydd ymysg y milwyr cyntaf i gyrraedd de Irac. Mae'r Cafalri Cymreig wrthi'n rhagchwilio a pharatoi ar gyfer rhan nesaf y goresgyniad. Mae'r traeth ar benrhyn Al Fao ger môr-lwybr llongau allforio olew Saddam. Mae cipio'r penrhyn a'i ddal yn allweddol i lwyddiant y goresgyniad yn ei gyfanrwydd. Tanciau Scimitar Gwarchodlu Dragŵn y Frenhines – y gatrawd Gymreig gan mwyaf – yn paratoi'r ffordd i'r Marîns Brenhinol a sicrhau glanfa ar arfordir y Gwlff yn agos i Iran. Roedd sôn eu bod nhw'n gweithio tuag at agor ffordd drwodd i'r gogledd tua Basra, tref o bwys strategol yn yr ardal.

'Mae tua 2,000 o ddynion a merched o Gymru'n gwasanaethu yn yr ardal, yn darparu ystod eang o arbenigeddau ar y llinell flaen ac wrth gefn fel rhan o'r Cynghrair sy'n cael ei arwain gan yr Unol Daleithiau i ddisodli'r gyfundrefn Iracaidd bresennol. Mae llawer o'r milwyr wedi manteisio ar y cyfle i wneud galwad ffôn ddiwethaf adra cyn cychwyn eu gweithrediadau yn yr anialwch. Cafodd Iola a Merfyn Owen o Benllech, Sir Fôn, alwad gan eu mab Dewi. "Galwad fer iawn oedd hi – munud yn unig – ond mi ddywedodd ei fod o'n ddiogel a'u bod nhw bellach tua deng milltir i mewn i Irac," meddai Mr Owen.'

49

Roeddwn i'n methu maddau i'r erthyglau yma, heb ddarllan ein hanas ni o'r blaen. Roedd rhyw falchdar rhyfadd yn fy ngherddad i wrth sylweddoli fod pobol adra wedi bod yn darllan am ein hanas ni, a ninnau'n teimlo mor ynysig o bell ar y pryd, dim ffonio, dim ebostio, dim ond amball i lythyr rŵan ac yn y man i rai ohonom.

'Llun, 24 Mawrth, 2003, 16:12 GMT
'Milwr Cymreig yn dal i frwydro

'Milwyr o Gymru wrthi'n ceisio sicrhau porthladdoedd allweddol yn ne Irac. Mae'r Cafalri Cymreig yn rhan o'r lluoedd sy'n dal Penrhyn Al-Faw ac wrthi'n codi gwersylloedd carcharorion rhyfel yn ne'r wlad. Bydd y rhain yn wersylloedd mawr wedi eu hamgylchu gan ffensys weiren rasel yn cael eu codi yn yr anialwch ger Basra gan Warchodlu Dragŵn y Frenhines, gydag adnoddau meddygol ar gyfer y carcharorion Iracaidd. Bydd yn cymryd "peth amser" i'w cwblhau, meddai llefarydd. Mae'r anialwch yn "boeth iawn" ond mae'r stormydd tywod wedi lliniaru'n ddiweddar. Yn ôl llefarydd o'r Pentagon disgwylir y bydd "miloedd" o garcharorion yn dod dan oruchwyliaeth y cynghrair wrth iddo dynhau'i afael ar ail ddinas Irac. Mae tanciau Gwarchodlu Dragŵn y Frenhines yn arwain y ffordd i'r ail ddinas. Dywedir fod hyd at 8,000 o aelodau 51ain Adran Milwyr Traed Irac wedi ildio i marîns Americanaidd y tu allan i Basra. Dywedodd llefarydd ar ran y Weinyddiaeth Amddiffyn: "Rydan ni'n ymwybodol sut i drin carcharorion rhyfel a bydd y driniaeth honno'n unol â Chonfensiwn Genefa."

'Yn y cyfamser mae Prif Weinidog Cymru, Rhodri Morgan, wedi dweud efallai y bydd gofyn i Gymru roi help llaw o ran sut i greu gweriniaeth ddatganoledig ar ôl y rhyfel. Dywedodd Mr Morgan efallai y byddai'r

Cynulliad yn cynnig ei arbenigedd ar greu gweinyddiaeth newydd. Mae nifer o grwpiau ethnig a grwpiau crefyddol yn Iran gan gynnwys Shïaid yn y de a Chwrdiaid yn y gogledd. Serch hynny, gwrthododd Mr Morgan ddatgelu ei safbwynt ef tuag at y rhyfel, heblaw ailadrodd ei farn fod y Prif Weinidog, Tony Blair, wedi bod yn iawn i roi'r penderfyniad i'r Senedd.

'Yn Sir Fôn heddiw (Llun), mae saith gwrthdystiwr wedi'u cadwyno eu hunain i offer ym Maes Awyr yr Awyrlu yn y Fali, fel rhan o wrthdystiad yn erbyn y rhyfel, a saith arall wedi'u cadwyno eu hunain i gatiau'r brif fynediad gan rwystro cerbydau rhag mynd i mewn ac allan.

'Torrwyd y cadwyni gan swyddogion yr Awyrlu a chludwyd gwrthdystwyr allan o'r ganolfan – nid arestiwyd neb.

'Dywedodd llefarydd ar ran y gwrthdystwyr fod y gwrthdystiad wedi targedu Maes Awyr y Fali gan fod peilotiaid yn cael eu hyfforddi yno i hedfan ar gyrchoedd ymosod ar Irac.'

Roeddwn i wedi cael dŵad adra ychydig ar ôl y Pasg, dros dro ar lîf. Roedd yr hogiau oedd yn gorffan eu cylchdaith yn gorfod aros sbelan eto yn y gwres. Mi fasa wedi bod yn well i minnau aros, nelo'r tŷ gwag ges i i'm croesawu. Finnau'n meddwl mai rhywbath dros dro oedd o ac y deuai'r plant yn ôl erbyn i'r ysgol ailagor. Gwastraffu amsar, yn lle mynd ati. Boddi fy nhrafferthion fesul tafarn, fesul potal. A chyn pen dim roeddwn i ar fy ffordd yn ôl i gadw'r heddwch. Heddwch o ddiawl. Roedd yna fwy'n cael eu lladd rŵan nag oedd yn ystod y rhyfal ei hun, myn diân i. Mwy o filwyr a mwy o bobol ddiniwad ar y stryd ac yn eu tai. Mae sgrechian y plant o'r cerbyd wenfflam yn fy nghlustiau byth. Roedd Nain yn iawn yn diwadd, wedi'r cwbwl. 'Nei di byth sowldiwr, Wil bach,' meddai, gan droi i brocio'r tân glo. 'Ti'n hogyn rhy wyllt ac mae dy galon di'n rhy fawr.'

'Sul, 25 Mehefin, 2003, 13:30 GMT
'Milwr yn gwrthod codi arfau?

'Dywedodd llefarydd ar ran y Weinyddiaeth Amddiffyn nad oedd unrhyw sail i'r honiad fod milwr yng Nghatrawd y Cafalri Cymreig wedi ei anfon adref am wrthod codi ei arfau: "Nid oes gennym unrhyw dystiolaeth fod unrhyw un wedi ei anfon yn ôl am wrthod ysgwyddo'i arfau. Bydd milwyr yn cael eu hanfon yn ôl o bryd i'w gilydd am resymau amrywiol megis rhesymau meddygol, seicolegol, lles a disgyblaeth, pethau sydd angen ymdrin â nhw gartref hefo'r unedau."

'Dyna ddigon o hynna,' meddwn i wrthyf fy hun. Roeddwn i'n sylweddoli mae'n siŵr fy mod i'n lwcus na ddaru nhw ddim dŵad ag achos yn fy erbyn. Toedd gen i ddim help fod pethau wedi mynd yn drech na fi. 'Cael dy saethu fasat ti'n y Rhyfel Byd Cyntaf,' meddai un Prif Swyddog wrtha i. Dwi'n cofio deud wrtho fo am fy saethu fi felly, doedd waeth gen i hynny ddim. Ges i fy mygwth am fod yn ddigwilydd, ond isio fi allan o'u golwg nhw oeddan nhw erbyn hynny a chael golchi'u dwylo ohona i.

Roeddwn i isio edrych oedd yna rywbeth arall ar safle'r Fyddin am sefyllfa rhai 'run fath â fi a chliciais yn ôl i lle bues i'n pori o'r blaen nes cael yr adran iawn.

'Rhyddhau Gorfodol

'Ni fydd personél sy'n cael eu rhyddhau'n orfodol o'r Fyddin yn cael llawer o amser i baratoi am eu rhyddhad ac fe'u hystyrir yn agored i sgil-effeithiau problemau lles ôl-ryddhad, a allai mewn amser arwain at ddigartrefedd.

Mae pecyn lles wedi ei roi mewn lle i sicrhau fod y sawl sy'n cael ei ryddhau yn cael cyfweliad lles ac ailgartrefu cyn gadael ei uned a'i fod yn derbyn llyfryn *Cyfarwyddyd Lles – Rhyddhau Gorfodol* sydd wedi ei dargedu'n neilltuol i roi arweiniad mewn sefyllfa o'r fath.'

Doeddwn i ddim yn gweld fod yma ddim byd i'm helpu, dim ond geiriau gweigion. Cefais ronyn bach o fwynhad o glicio 'cau' ar y porwr a gweld yr holl gybolfa'n diflannu o'r sgrin. Eisteddais am funud neu ddau'n syllu ar y sgrin wag.

'Esgusodwch fi,' meddai llais tu ôl i'm hysgwydd. 'Ydach chi'n defnyddio'r sgrin yma?'

'Yndw,' meddwn i gan droi at ferch ifanc yn ei harddegau. 'Fydda i ddim yn hir rŵan.' Cliciais eicon y prosesydd geiriau a theipio Y CADEIRIO mewn ffont Rhufeinig tua'r maint oeddwn i wedi'i weld ar docyn Gwyn Bont. Holais am bapur tewach na'i gilydd i'w argraffu. Wedi ei argraffu a'i dorri i'r maint cywir roeddwn i'n tybio na fasa'r Archdderwydd ei hun ddim callach nad oedd o'n un iawn.

'Dyma chdi'r cyfrifiadur,' meddwn i wrth yr hogan ysgol gan ddal y gadair iddi.

Roedd hi'n boethach byth y tu allan a finnau'n chwysu dan fy ngheseiliau ac yn clywed oglau neithiwr ar fy nillad. Es ar sgowt am grys chwys glân. Y lle crysa cynta welis i oedd Cowbois a digon o ddewis i'w weld ganddyn nhw.

'Be sgynnoch chi i'm ffitio fi?' meddwn i wrth y boi tu ôl y cowntar.

Dangosodd wahanol rai imi.

'Be mae o'n ddeud?' meddwn i.

'"Dwi'n Gymro, dwi ddim yn Sais,"' meddai'r boi.

'Mae hynny'n amlwg,' meddwn i. 'Be ydi'r sgwennu ar y crys?'

'Dyna mae o'n ei ddeud ar y crys, mewn Portiwgaleg,' eglurodd yn amyneddgar. 'Fedri di gael o mewn Ffrangeg, Eidaleg, Almaeneg neu Roegeg os tisio,' ychwanegodd.

'Fedra i ddim penderfynu,' meddwn innau. 'Ddo i 'nôl.'

Ar hynny dyma fi'n clywad neges destun yn cyrraedd y ffôn bach. Now John oedd yno'n tecstio: 'Gwil a fi ar ffor lawr. Isio 2docyn Jarman heno. Gwel chdi na.'

'Lle ga i docynnau i Jarman?' gofynnais i'r boi tu ôl y cowntar.

'Cymuned dwi'n meddwl,' meddai. 'Syth i lawr y rhes yma ffor'cw.'

Gwasg Gomer oedd y drws nesa, llyfrau ac ati. Taswn i'n awdur mi faswn i wedi gallu cael dau ddeg y cant i ffwrdd oddi ar y llyfrau, ond gan nad oeddwn i ddim chawn i ddim a toeddwn i ddim isio llyfr arall p'run bynnag.

Cymrais i gip ar y crysau ac ati drws nesa wedyn yn Alff a Bet ond heb brynu dim byd yn fan'no chwaith. Roedd y jin yn dechra cawlio fy mrêns felly mi drois i mewn i'r stondin nesaf i holi. Pwy welis i yno ond y dyn siwt frethyn hefo'r tei batrwm tartan arni.

'Ddaru chi fwynhau'r ddarlith gynna?' holis i. 'Ym Mhaball y Cymdeithasa?'

'Pa ddarlith?' meddai. 'Fues i ddim yno. Ond mi roeddwn i yn y Pafiliwn yn Steddfod Aberteifi adag y cadeirio. Sôn am helynt! Dwy awdl a dim ond un gadair.'

'Lle mae Cymuned os gwelwch chi'n dda?' meddwn i.

'Pwy?' meddai.

Ges i well lwc drws nesa ar stondin gemwaith Rhiannon; mi ddangoswyd imi lle i fynd, drws nesa ond un heibio Cyd-bwyllgor Addysg Cymru. Roedd Cymuned hefo bwrdd gwerthu o flaen y stondin lle'r oedd yr holl docynnau ar werth.

'Tri tocyn i Jarman,' meddwn i.

'Tri thocyn i Jarman?' meddai'r gwerthwr.

'Ia, tri tocyn,' meddwn i. 'Be sy, methu gwneud syms wyt ti?'

'Mae 'na dreiglad llaes ar ôl tri,' meddai'r gwerthwr.

'Faint ydi'r crysau duon Dal dy Dir yna?' meddwn i. 'Tyd ag un neith ffitio fi.'

'Wyt ti isio ymaelodi?' holodd y gwerthwr.

'Dwi'n aelod yn barod,' meddwn innau. 'Gwisg wen, urdd Derwydd, sana draig goch a sbectol haul.'

'Pa ardal?' holodd o gan grafu'i drwyn.

'Hen Ogladd,' meddwn innau wrth gymryd y crys a'r tocynnau. 'Aelwyd Catraeth.'

'Mae cenhadon ein darostyngiad yn rhwyfo drwy'r niwl tuag atom,' meddai'r stondinwr. 'Mae trwynau'u cychod eisoes yn crafu graean ein traethau.'

'Wn i,' meddwn innau. 'Blydi jet-scis uffarn.' Roeddwn i'n aros am y newid ond welis i mohonyn nhw eto. 'Cadwa'r newid at yr achos,' meddwn i ymhen hir a hwyr.

'Diolch yn fawr iawn,' meddai yntau.

Wnes i ddim mentro i'r stondin nesa wedyn ar ben y rhes. Canolfan Madog ar gyfer Astudiaethau Cymraeg, Prifysgol Rio Grande, oedd ei henw hi. Un o'r asiantaetha newydd yna tua'r Port mae'n siŵr.

Es i draw wedyn i ryw le oeddwn i wedi'i weld yn gwerthu nialwch pren wedi'i baentio a chael arwydd drws bach lliwgar bob un i'r plant, un Bart Simpson i'r mab hefo 'Stafell Siôn' arno fo ac un siâp llamhidydd i'r ferch hefo 'Ystafell Bethan' ar hwnnw. Tydi hi ddim yn licio sgwennu anffurfiol.

Doedd waeth imi ddilyn fy nhrwyn ychydig eto. Heibio ryw ddodran gardd pin ar ben y rhes, a stondinau Barddas, Cilt Cymru, Cymdeithas Caws Eryri ac eraill. Doeddwn i ddim angan englyn, sgert na chaws ar y pryd, felly es i heibio iddyn nhw i gyd a sefyll ger stondin Cymry Llundain. Y feri peth, meddwn i wrthyf fy hun wrth weld ar eu cyfer nhw stondin Pishyn dot com a honno'n gwerthu trôns a niceri.

'Sgin ti un i'm ffitio fi?' holais yr hogan tu ôl y cowntar.

Dangosodd un gwyn hefo Pishyn wedi sgwennu ar ei gefn o.

'Mi ddaw â lwc imi heno dwi'm yn ama,' meddwn i wrth iddi ei lapio fo.

'Be sy nelo lwc â'r peth?' meddai hithau. 'Seidlein ydi gwerthu'r trôns, mi fedra i dy helpu di os ti isio dêt, siŵr iawn.'

'Dow, ti'n siŵr?' meddwn innau. 'Faint o'r gloch wyt ti'n gorffan?'

'Nid hefo fi, y lemon,' meddai. ''Dan ni'n cynnig gwasanaeth i roi Cymry Cymraeg digymar mewn cysylltiad hefo'i gilydd drwy gyfrwng y we ar *pishyn dot com*. Ond mi fydda i angen 'chydig o fanylion amdana chdi gynta.'

'Sgynna i'm byd i'w guddio,' meddwn inna.

'Petha syml ydyn nhw: enw, oed, gwaith ac ati.'

Mi ddywedais wrthi.

'Y fyddin, ia? Sgynnon ni ddim cyn-filwyr ar ein llyfrau ar hyn o bryd. Mi laset ti fod yn boblogaidd. Dwi'n cymryd na wyt ti ddim yn briod, felly?'

'Yndw,' meddwn innau.

''Dan ni ddim yn arfer hybu godineb ar y stondin,' meddai hithau. Dechreuodd synhwyro'r awel o'm cwmpas gan grychu ei thrwyn. 'Wyt ti wedi meddwi?' holodd. 'Ti'n wastio'n amser i'n dwyt?'

'Nacdw,' meddwn innau. 'Mae'r ast brodis i 'di hel ei phac yn ôl i'r Alban hefo'r plant tra ôn i yn Irac a rŵan mae'n trio stopio fi eu gweld nhw na'u ffonio nhw. A dwi ddim wedi meddwi, jest wedi bod yn cynnal protest ar y maes o blaid cyfreithloni alcohol fel y bobol rheini sy'n martshio drwy Lundain isio cyfreithloni dôp. Fasa'n rhyfadd o fyd tasan nhw'n hel i ganol Sgwâr Traffalgar i smocio Park Drive, yn basa? Oedd raid inni yfed rhywbath ne fasa hi fawr o brotest yn naf'sa. Wyt ti wedi sylwi pan ti'n mynd mewn awyren nad ydi'r cymylau'n ddim byd arbennig iawn a chdithau uwch eu pennau?'

'Ocê,' meddai hithau. 'Dwn i ddim byd am y cymylau, ond mae 'na un yn fan'ma fasa'n dy siwtio di, ac un arall fan hyn efallai . . .'

'Un dwisio,' meddwn i. 'Heno, os yn bosib.'

'Yli,' meddai gan scrolio 'nôl i fyny'r sgrin i weld fy enw eto. 'Yli, William Robaits, nid puteindy ydi hwn ond lle i bobol o'r un anian gyfarfod. Tydw i ddim yn trefnu wan neitars, dallta. Os ma dyna dy gêm di, dos i newid dy drôns a thrio dy lwc yn y ffordd draddodiadol. Dwi ddim yn meddwl y gall *pishyn dot com* dy helpu di.'

Doeddwn i ddim yn gweld bai arni am fy hel i o'na. Doedd hi ddim yn fy nabod i. Ychydig iawn o bobol sy'n fy ngalw fi'n William Robaits yn lle Wil Chips. Mae'n siŵr ei bod hi'n fy ngweld i fath â rhyw sgwadi chwil isio bodio bodins a'u gadael fora trannoeth. Sef yr union beth oeddwn i isio, wrth gwrs.

Es i draw i'r cwrt bwyd yn ymyl Celf a Chrefft i gael panad. Cliriais y nialwch oddi ar y bwrdd plastig a'i sodro yn y bin cyfagos. Doedd yna ddim digon o le yn y gwpan steiroffôm imi roi llawar o lefrith, a finnau'n trio'i yfad o heb losgi 'ngwefusau. Roedd yna rywun wedi gadael papur newydd ar un o'r cadeiriau. Pennawd am arweinydd plaid yn 'ennyn cynddaredd hiliol' neu rywbeth. Wedi darllen pwt o'r erthygl roedd hi'n amlwg nad oedd dim o'r fath wedi digwydd. Wyt ti wedi sylwi faint mor amal maen nhw'n defnyddio'r gair 'cynddaredd'? Pwy yn union sy'n cynddeiriogi? Yr unig beth yn y papur fasa'n agos at fy nghynddeiriogi i fasa'r cwtrin rhyfedd hwnnw sy'n honni ei fod o'n Ddi-Ofn ac yn Ddiflewyn-ar-dafod. Di-glem faswn i'n feddwl ydi'i brif nodwedd o. Glywis i sôn ei fod o isio ffonio George Bush cyn i'r rhyfal ddechra i ddeud wrtho fo am fomio Caernarfon yn lle Baghdad am fod Plaid Cymru'n ffrynt i al Quaeda. Roedd o'n credu mai mudiad hybu glendid oedd y Blaid Baath. Yn ochor hwn mae Janet Street-Porter yn genedlaetholwraig Gymreig. Doedd ganddo fo'i big i mewn heddiw. Yr unig stori o bwys am wn i oedd honno am y ffatri partia ceir yng Nghaernarfon. Rhyw ddieithryn estron wedi cael miliwn gan y Cynulliad ac wedi gadael y werin heb ddima goch y delyn. Roedd yna 'chydig am y Steddfod tu mewn hefyd, yn Saesneg wrth reswm.

Hynny, a rhyw sylwadau gan alci Torïaidd yn dweud fod yr Eisteddfod yn 'drist ac yn amddiffynnol' – be bynnag oedd hynny i fod i feddwl. Pobol felly sy'n cael sylw gan y papur yma bob gafael am ryw reswm. Dwi'n cofio darllan hanas rhyw gystadleuaeth Llyfr y Flwyddyn un tro, a dim ond yr enillydd Saesneg oedd yn cael sylw, er mai Cymraeg oedd y darllenwyr, rhan fwyaf. Rois i ffluch iddo fo i'r bin at y sbwriel a'r tsips a'r sos coch.

Rois i gynnig ar eu ffonio nhw. Dwn i ddim be mae'r fam yna sgynnyn nhw wedi'i wneud, tynnu'r cardyn neu guddio'r ffôn symudol ynteu be. A dim ond neges dwi'n gael ar ffôn y tŷ yn dweud wrtha i am adael neges. Dwinna'n gadael neges yn Gymraeg hefo fy rhif ffôn a ballu ond dwi'n gwybod nad ydi hi'n gadael iddyn nhw wrando ar y neges. Wrth gwrs, ddysgodd hi rioed air o'r iaith a dwi'n siŵr fod yr hen blantos yn prysur golli eu Cymraeg nhwythau. Mae gynna i bapur llys yn dweud fod gen i hawl i siarad hefo nhw ryw dro dwisio, ond tydio'n gwneud affliw o ddim gwahaniaeth i'r astan bengalad.

Toeddan nhw ddim isio mynd hefo hi, isio aros adra, ond mi ddewisodd ei hamser yn dda, yn do. Roedd hi wedi bygwth mynd â nhw o'r blaen. Dwi'n gwybod fod yna fai arna finnau hefyd. Mae'n cymryd dau i ffraeo, tydi. Dwi'n teimlo'n ddrwg dros yr hen blant a'u pennau o dan eu plancedi i fyny'r grisiau a ninnau'n gweiddi ac yn clepio drysau i lawr grisiau. Neb yn siarad hefo'i gilydd dros y bwrdd brecwast. Dwi'n cofio'r ddau ohonom ni un nos Wener yng ngyddfau'n gilydd dros rywbeth a Bethan yn dŵad i lawr grisiau yn ei choban a gofyn, 'Ydach chi'n cael ysgariad?' a'i mam hi'n gweiddi arni am siarad yn Saesneg iddi hi gael dallt ac wedyn yn ei hel hi i'w gwely a dweud wrthi am feindio'i busnes. Dyna pryd ddaru Bethan ail-ddechrau gwlychu'i gwely a gorfod cael y gynfas blastig dros y fatras fel pan oedd hi'n fach. Byw fel ci a chath oeddan ni; welodd yr hen blant fawr o gytgord ar yr aelwyd.

Pan welais i hi gynta roedd hi'n hogan glws, a'i chroen yn wyn a'i llgada gwyrdd yn dawnsio a'i gwallt fel rhedyn Hydref yn yr haul. Ond rhwng y ffags a'r botal a'r plant a'r tsips a'r byw fel slebog yn ei slipars a'i choban tan amsar te mi aeth rhwng y cŵn a'r brain a'i thempar a'i rhegi'n saith gwaeth o'r naill ben flwyddyn i'r llall.

Fyddwn i'n trio bod yn glên hefo hi weithiau, yn trio rhoi fy llaw ar ei llaw hi, ond doedd dim byd yn tycio. Hithau byth a hefyd yn edliw imi fy mod i'n anffyddlon iddi a hithau heb dystiolaeth, yn edliw imi nad oeddwn i'n ei charu hi, a finnau'n gwadu. Be ddiawl oeddan ni'n da hefo'n gilydd yn trio magu teulu? Dim ond un waith wnes i ei tharo hi, wrth drio'i nadu hi fy nhrywanu hefo siswrn. Yn llofft oeddan ni; dwi ddim yn cofio am be oeddan ni'n ffraeo. Mi droes arna i a siswrn yn ei llaw. Mi frathodd y blaen yn ddwfn i afl fy mhenelin. Trawais yr arf o'i llaw a'r ergyd yn ei tharo hithau ar ochr ei phen. Safodd a syllu arna i a'i llgadau'n llosgi fel pentewynion. Roedd o'n fêl ar ei bysadd hi, wrth gwrs. Doedd hi ddim isio clywad sôn am ddamwain. Tasa chdi'n gwrando arni hi mi roeddwn i ar fin ei llofruddio hi. Fasa waeth 'swn i 'di hanner ei lladd hi ddim.

Ella bod gadael y peth gorau iddi hi, ond toedd o mo'r peth gorau i'r plant. Amdana i byddai'r plant yn gweiddi'r nos, ddim amdani hi. Pwy sgynnyn nhw rŵan i roi caru mawr iddyn nhw? Y hi a'i theulu o garidýms chwil o'r Alban? Estynnais y sglodion drysau 'Stafell Siôn' ac

'Ystafell Bethan' o'r bag a syllu arnyn nhw a phenderfynu yn y fan a'r lle yr awn i yn y car fory nesa'r holl ffordd i Glasgow a gwitsiad tu allan i'r bloc fflatiau nes eu gweld nhw'n dŵad. Agor drws y car a'u galw nhw ataf a mynd â nhw'n ôl i Gymru hefo fi. Roedd y penderfyniad yn gwneud imi deimlo'n well ac mi es i'r toiledau i ymolchi a gwisgo 'nghrys newydd a'm trôns glân a ballu.

Gan fy mod i yn ymyl mi biciais i mewn i'r babell Gelf a Chrefft i weld be oedd yno ond tydwi'n dallt dim byd ar betha felly. Sylwis i ar gerflun bychan o ddau ben ac ysgwydd nesa at ei gilydd ac enwau rhyw Arglwydd Tonypandy ac Arglwydd lle bynnag arall a label dwyieithog o dan hwnnw'n deud '*Two small heads* / Dau ben bach'. Heb ei fai heb ei eni meddwn i wrthyf fy hun ac allan â fi. Syth ymlaen heibio'r Pagoda a'r Theatr a Chanolfan y BBC ac mi roeddwn i ar gyrion y Pafilwn.

PENNOD PEDWAR

'Lle mae'r gorseddgwn yn rhoid eu cobana amdanyn?' holais yn y Swyddfa Ymholiadau. Roeddwn i wedi bod yn cerddad yn ddiamcan o gwmaps y babell fawr heb sylwi ar nunlla tebygol. Diolch byth, ges i gip ar arwydd yn dweud 'Swyddfa Ymholiadau' yn ymyl drws bach mewn cwt gwyn yn sownd i un gornal o'r pafiliwn.

'Man ymgynnull y Derwyddon?' holodd y ddynas wrth y cowntar.

'Ia,' meddwn innau, 'tydw i'n un ohonyn nhw.' Rhois fy sbectol haul am fy nhrwyn. 'Nabod fi rŵan?' meddwn i.

'Wel yndw neno'r Tad,' meddai. 'Allan i'r maes a'r cyntaf i'r chwith. Gyda llaw, mi wnaeth y ferch acw fwynhau'r gyfrol ddwytha'n arw.'

'Diolch yn fawr,' meddwn i. 'Faint ydi oed y ferch?'

'Saith,' meddai gan edrych yn amheus arnaf.

'O, da iawn,' meddwn i a ffoi o'i golwg.

Dilynais ei chyfarwyddiadau a dangos y tocyn yn nrws y man ymgynnull.

''Dach chi'n hwyr, ddyn,' meddai derwydd ffyrnig mewn coban wen wrtha i a'm pwnio yn fy mrest a phwyntio at ddrws arall y tu mewn. 'Mae Meistres y Gwisgoedd wedi blino disgwyl amdanoch chi.'

'Dere, glou, Iwan,' meddai Meistres y Gwisgoedd. 'Ydach chi am dynnu'r sbectol haul?'

'Nacdw,' meddwn i. 'Well i mi beidio. Wedi bod yn cynganeddu.'

'Deall yn iawn, bach,' meddai. 'Dewch â'r bag yna i'w gadw man hyn.'

'Well gin i gadw o hefo fi,' meddwn innau'n cydio'n dynn yn y bag Cyngor Llyfrau. 'Gwaith ar y gweill a ballu, wyddoch chi.'

'Deall i'r dim, bach,' meddai. 'Nawr,' ychwanegodd wedi iddi glymu'r goban wen amdanaf, 'mae eisiau penwisg lawryf arnoch. Dewch inni weld wneith hon y tro.'

Mewn dau funud roeddwn i'n Brifardd.

'Sefwch fan hyn!' meddai'r bugail hefo'r ffon wen. Roedd o'n beryglus iawn yr olwg, ac erbyn gweld roedd yna ddarn pigog digon hegar yr olwg ar ben y polyn. 'Fyddwch chi'n cyfarch y Prifardd wedi'r cadeirio.'

'*Oh shit*,' meddwn i wrthyf fy hun yn Saesneg yn erbyn pob rheol o eiddo'r Orsedd mae'n siŵr. Dim ond mewn argyfwng fydda i'n ei siarad hi, cofiwch, ac yn y Fyddin.

Daeth dyn mewn crys a thei a botwm ffôn yn ei glust atom a dweud, 'Ddrwg gen i am hyn, 'dan ni'n rhedag hanner awr yn hwyr eto.'

'Ar ôl y row gawsoch chi ddydd Mercher?' meddai'r Derwydd hefo'r ffon. 'Mi fydd croen rhywun ar y pared am hyn. Reit, dderwyddon, gewch chi ymlacio am ychydig eto.'

Roedd hi'n braf i fod yn ddafad wen ddienw ynghanol y praidd. Roedd rhai wrthi'n hel o gwmpas y cowntar paneidiau. Te, coffi, bisgedi, y cwbwl i'w gael yn rhad ac am ddim. Dyma'r hei leiff, meddyliais, ond lle mae'r jin a thonics? Lle mae'r cwpwrdd diodydd? Roeddwn i wedi clywed fod y derwyddon wrthi'n llowcio jin a wisgi a bob math o wirodydd yng nghefn y llwyfan cyn perfformio, ond ail ges i. Nid yn unig roedd y cwpwrdd yn wag, doedd yna ddim cwpwrdd. Es i o dan fy nghoban ac i'r bag Cyngor Llyfrau Cymru ac estyn y botelaid dryloyw.

'Pwy gymrith jinsan bach hefo'u panad 'ta?' holais yn gynnil. 'Jochiad yn ei llygad hi'n lles i'r corff a'r enaid. Mae hwn yn un organig o Aberhonddu.' Mewn chwinc roedd yna griw o'm cwmpas yn estyn eu cwpanau ataf. Cymrodd rai jochiad yn eu te, eraill hanner cwpanaid ar ei ben ei hun. Wnes i mo'i gynnig o i bawb rhag ofn i'r hen ddirwestwrs fy nal i, ond mi gafodd y rheini oedd yn y cylch hefo fi lond cratsh go lew. Nid af i enwi pawb gafodd joch go hegar, ond dwi'm yn ama y medrat ddyfalu. Roedd y boi 'na o Benrhyndeudraeth yn un o'r rhai gwaetha. Cwyno fod gas gynno fo jin a'i yfad o'r un fath â llefrith.

'Be 'di'r fedal 'na sgin ti?' meddwn innau wrtho fo.

'Am sgwennu llyfr,' meddai.

''Dan ni'n cael medal am ladd pobol,' meddwn i.

'Hefo'r Cynulliad wyt ti?' gofynnodd y lembo.

'Pawb i drefn,' gwaeddodd y bugail hefo'r ffon. 'Fesul dau, ffurfiwch yn rhes, prifeirdd i'r blaen.'

Mi giciais y botel wag o dan ryw gadair a chwilio am bartnar ar gyfer yr osgordd. Diolch byth, welis i Gwyn ap Llwyd drwy gil fy llygad a mynd ato.

Codais y sbectol haul yn slei bach a rhoi winc arno fo.

'O mam bach,' meddai Gwyn ap Llwyd.

'Dwi 'di cael ordors i gyfarch y prifardd,' meddwn i wrtho fo a ninnau ysgwydd yn ysgwydd ym mlaen y rhes. 'Rhywbeth fel, "Helô, su'mai, croeso, da iawn chdi" neu rywbeth ia?'

'Nacia'r cwtrin chwil, ti'n goro'i gyfarch o ar gynghanadd.' Roedd yna ddiferion chwys yn dechrau

64

powlio i lawr talcen Gwyn ap Llwyd. 'Wyt ti 'di deud dy fod ti'n rhywun arall?' sibrydodd yn flin.

'Naddo,' meddwn innau. 'Ond maen nhw wedi cymryd yn eu pennau mai Iwan ydi'n enw i. Mae'n swnio'n fwy addas yn y wisg wen na Wil Chips, ti'm yn meddwl?'

'O mam bach,' meddai Gwyn eto.

Roedd y gwres yn llethol, doedd dim dwywaith am hynny. Roeddwn innau'n dechrau chwysu o dan y goban.

'Ti angan englyn neu gywydd neu rywbath,' meddai Gwyn. 'Am lanast!'

'Wel gwna un imi reit sydyn,' meddwn innau. 'Neu yn y rheinws fydda i eto.'

'Fedra i ddim jest gwneud englyn ar drawiad,' meddai. 'Mae hi'n grefft wst ti.'

'Be uffarn wyt ti angan 'ta?' meddwn innau. 'Isio mynd i orwedd mewn ogof hefo cerrig ar dy fol drwy'r nos? Galw dy hun yn Brifardd, wir.'

'Coron ges i, nid Cadair,' meddai Gwyn yn amddiffynnol. 'Rhyddiaith wedi'i thorri'n rubanau ar draws y tudalan. Tydwi fawr o giamstar ar gynghanadd.'

'Gofyn i un o dy fêts tu cefn 'ta,' meddwn i. 'Brysia, myn uffarn i.'

Wedi hen drafod ymysg y prifeirdd a chau llygadau a chyfri ar bennau bysedd, erbyn inni gerddad y maes a chyrraedd y pafiliwn mi gafwyd englyn o blith y rhengoedd a'i daro i lawr ar damaid o bapur. Doedd dim brys; erbyn dallt, mi roedd isio inni sefyll am oes pys wrth waelod y grisiau yn y tywyllwch. Roedd yna waith i fugail a chŵn defaid i gadw trefn ar rai fyddai byth a hefyd yn gadael y rhengoedd ac yn crwydro'n ddiamcan mewn cylchoedd.

'Ti 'di tancio'r blydi Orsadd,' meddai Gwyn yn

gyhuddgar. Roeddan ni â'n traed ar y grisiau erbyn hyn, ond yn dal i aros arwydd i'w dringo.

'Doedd dim rhaid iddyn nhw 'i gymryd o,' meddwn innau. 'Ges i fwy na nhw a dwi'n iawn, tydw.'

'Ti 'di blydi arfar,' meddai Gwyn. ''Dan ni'n gwahanu fan hyn,' ychwanegodd. 'Dilyn y derwydd hefo'r ffon wen.'

'Tyd â'r blydi englyn imi,' meddwn innau'n gafael yn ei lawes.

Mi roes o'r sgrwnsh papur yn fy llaw.

'Ydi o'n gywir?' galwais ond roedd o wedi mynd.

Dyna lle bues i wedyn yn trio'i ddysgu o a sylwis i ddim byd nes oedd y cyrn gwlad yn canu a ninnau'n cerdded yn osgeiddig drwy'r pafiliwn. Ambell un yn llai gosgeiddig na'i gilydd, gwaetha'r modd. O leia aeth pawb i'w seddau rywsut. Roedd y gwres yn llethol yn y pafiliwn. Dylwn i fod wedi tynnu amdanaf 'dat fy nhrôns fel rhai o'r hen lawiau.

Daeth y beirniaid i'r llwyfan a finnau'n setlo'n braf a'm llygaid yn cau ar fy ngwaethaf y tu ôl i'm sbectol dywyll. Y peth nesa wyddwn i dyma 'na floedd gan y cyrn gwlad a finnau'n neidio yn fy sêt. 'Paid ti â chodi,' meddai derwydd wrth fy ymyl i a gafael gadarn am fy ngarddwrn. 'Dim ond Heilyn sy'n cael codi.'

'Pwy ddiawl ydi Heilyn?' meddwn innau.

'Oeddwn i'n meddwl y baset ti'n gwybod,' meddai.

Cawsom edrychiad ffrom gan yr Archdderwydd dros ei sbectol a neb yn meiddio anufuddhau.

Roedd y llifoleuadau fel goleudy chwil, ac mewn chwinc dyma bawb yn dechrau curo dwylo a gweiddi a'r bardd ar ei draed. Roeddwn i wedi gweld ei wyneb o ar grys-T.

Daethpwyd â fo i'r llwyfan a'i wyntyll yn ei law a chwara teg mi roth wyntylliad bach i'r Archdderwydd.

Mae'n siŵr ei fod o'n chwysu chwartia a'i braidd o'n chwil ar ddiwrnod mor boeth a Phrifardd yn chwifio gwyntyll yn ei wynab o. Gobeithio na fasa neb yn sylwi oedd o, dwi'n meddwl. Toedd pawb yn sbio ar gampau'r Prifardd a'i wyntyll, nid ar bawb yn cysgu. Dyma un o'r beirniaid yn ei ôl wedi'i wisgo mewn coban newydd sbon y tro hwn ac ymddiheuro fod diffyg staff yn ei orfodi i wneud dwy swydd, y naill ar ôl y llall. Mi roes gyfarchiad teilwng iawn i'r Prifardd newydd. Dwn i ddim pwy oedd o'n sôn amdanyn nhw wrth sôn am rai o'r beirdd sy'n 'mwmial pethau dwl, rwdwl-mi-ral â nhw'u hunain; aiff rhai'n rhy llwydaidd, ac mae rhai'n lledu'u hadenydd uwchlaw dynion'. Roeddwn i'n gweld Gwyn ap Llwyd yn anesmwytho pan glywodd y gair llwydaidd. Ac mae'n siŵr fod y rhan fwyaf o'r beirdd yn anesmwytho wrth glywed y geiriau 'rwdwl-mi-ral'. A dyma fo'n crybwyll 'gwely ysgall Gwales dy siarad' ac roeddwn i'n gwybod ei fod yntau, fel finnau, wedi cysgu ar lawr dan adlen neithiwr yng nghanol ysgall Mathrafal. Ar ôl iddo fo orffan dyma'r bugail ffonnog ataf innau a'm hwrjio i'r llwyfan hefo'i ffon.

Tynnais y sgrwnsh papur o'm poced a mynd i flaen y llwyfan. Roedd hi'n anodd darllen y geiriau drwy'r sbectol haul ond mi ddois drwyddi rywsut gobeithio. 'Henffych Brifardd,' meddwn i, 'nest ti'n dda iawn. Sut ei di â'r gadair adra?'

Wnaeth o ddim byd ond ei wyntyllu'i hun yn ffyrnicach a gwenu'n rhyfedd arna i. 'Well iti gael yr englyn rŵan 'ta,' meddwn i a darllen hwn fel hen bregethwr. 'Heddiw trwy ddeddf Eisteddfod Mathrafal mae'i thair afon barod fwyfwy ar ras o Feifod ato fo yn cludo clod.'

Mi ges i fynd yn ôl i'm sêt wedyn, ond nid yn rhy hapus

oedd fy nghyd-orseddgwn a rhyw dwt-twtian i'w glywed o'm cwmpas er na welais geg neb yn symud ar ei ben ei hun. Ta waeth, mi wnes i fwynhau dawns y blodau a chyn hir roeddan ni'n cael mynd allan. Fel wats mi gwrddais â Gwyn ap Llwyd yn y lle roeddan ni wedi gwahanu gynnau.

'Dim ond datgan yr englyn oedda chdi fod i'w wneud,' meddai yntau.

'Wela i di, Gwyn,' meddwn i. Doeddwn i ddim am fynd yn ôl i'r lle newid i gael fy holi. Roeddwn i'n dechrau sobri ac yn sylweddoli fod rhai wedi gweld nad yr hwn oeddwn i'n honni fy mod oeddwn i go iawn. 'Rho'r rhain yn ôl drosta i i Feistres y Gwisgoedd,' meddwn i gan wthio'r goban a'r benwisg i'w ddwylo.

Tynnais fy sbectol a gwylio'r orymdaith yn mynd heibio heb fy nabod. Brynis i gopi o'r *Cyfansoddiadau* ar y maes a mynd i nôl hufen iâ i gael eistedd yn rhywle am funud i sbio arno fo.

'Gymra i côn waffl hefo dwy sgŵp o fanila a mefus ffres ar ei ben o,' meddwn i wrth yr hen wreigan oedd yn syrfio fi.

'*English*,' meddai hithau.

'Mae gynnoch chi fadj sy'n dweud bo' chi'n siarad Cymraeg,' meddwn innau.

'Bathodyn,' meddai a phwyntio at y badj.

'Dyna dwi'n ofyn ichi, ddynas,' meddwn innau. 'Pam ddiawl 'dach chi'n gwisgo'r bathodyn os 'dach chi'n methu siarad Cymraeg?'

'O, fi yn siarad Cwmrâg,' meddai

'Wel siaradwch chi hi 'ta, 'dach chi yn yr Eisteddfod.'

'Fi'n dod o'r Sowth,' meddai. 'Sdim neb yn ddeall fi man hyn.'

'Mae pawb yn eich deall chi'n iawn,' meddwn i.

Ymhen hir a hwyr fe'i cefais i ddallt be oeddwn i isio. 'Tair punt,' meddai ac estyn y peth ata i.

'Wnes i ofyn am fefus ffres ar ei ben o,' meddwn i pan welais yr arlwy.

Mi roth y llwyaid leiaf o fefus wedi'u stwytho mewn surop ar ben yr hufen iâ. 'Pum punt,' meddai.

''Dach chi rioed yn codi dwy bunt am lond llwy bwdin o fefus stwnshlyd fel'na?' meddwn innau.

'Otyn,' meddai gan droi at y cwsmer nesaf. '*Next*.'

Mi ddechreuais i ddarllen yr Awdl gan feddwl y baswn yn y gors yn syth bìn, ond yn lle hynny mi fedrais ei dallt hi'n iawn, dwi'n meddwl. A'r gyfrol wedi costio'r un faint â'r hufen iâ roeddwn i'n dechra meddwl fod y llyfr yn fargen.

Roedd yna bobol wedi hel at ryw sgrin ar stondin gyfagos a dyna lle'r oedd y Prifardd yn cael ei holi. 'Be mae ennill y Gadair hon yn ei olygu i chi?' meddai'r holwr.

'Dyma fy unig uchelgais erioed,' meddai'r bardd.

'Felly sut deimlad oedd codi ar eich traed yn y Pafiliwn?' holodd.

'Gan mai hon oedd fy unig uchelgais erioed,' meddai'r bardd, 'roedd yn deimlad cyffrous.'

Wnes i ddim aros i wrando'r gweddill gan fod rhywun yn tynnu yn fy llawes.

Gwyn Bont oedd yno, wedi diosg ei goban. 'Gobeithio ichdi fwynhau dinistrio hen urddas ein hunig sefydliad gwir Gymraeg,' meddai. 'Mae'r orsedd wedi gyrru dynion ar draws Mathrafal i gyrchu Iwan Llwyd atyn nhw i'w ddadfreinio o'i holl urddau a'i chwipio'n dinnoeth ar lwyfan y Brifwyl. Be sgin ti i ddeud am hyn'na?'

'Arna chdi oedd y bai,' meddwn innau. 'Dwi wedi darllan yr Awdl.'

'O do, mae'n siŵr,' meddai Gwyn. 'A be ydi'i henw hi?'

'"Drysau",' meddwn i.

'Da iawn,' meddai Gwyn.

'Be mae hi'n feddwl?' gofynnais.

'Be, isio imi'i hegluro hi ichdi wyt ti?' meddai Gwyn yn syn.

'Ia, plîs,' meddwn innau.

Powliodd Gwyn ei lygaid fel marblis yn ei ben. Gafaelodd yn fy nghopi o'r *Cyfansoddiadau*. 'Reit,' meddai.

'Iawn,' meddwn innau.

'Jest taw, a gwrando,' meddai. '"Ym mhen draw distaw hen dai, y tu ôl i lenni tew, yn wich ar fachyn o wae, yn glep drwy lefain y glaw, mae'r drws na all Cymro droi oddi wrtho tra bydd o byw."' Edrychodd arnaf.

'Ocê,' meddwn i. 'Dallt so ffar.'

'Paid â thorri ar draws eto,' meddai. '"Ydi o'n byw, fel pob dyn bach arall? Hwn acw, hwyrach, sy'n hel ein trolis ni i un man am ei fara menyn. Sy'n hel ein trolis ni hyd y bedlan, yn drên bwdlyd, sy'n hel at ei fis, un ha', ar relwe aur Awstralia. Ydi o'n un ohonyn nhw, â'i fathodyn un enw? Mae'r cap o America, mae'r co'n Americana; nid oedd sioe a gydiodd, siŵr, cyn bod Americanwr."'

Roeddwn i'n gwrando ar ei eiriau fo'n llifo'n esmwyth drosta i ac yn gweld dyn mewn cap coch yn hel trolis o flaen Tescos.

'"Dyna yw byw'r dynion bach, heb ail enw, heb linach,"' meddai Gwyn. "Ydi o'n gobeithio y bydd y lein yn weddol lonydd a'r noswyl fawr yn nesu, y cwrw oer, y gwair cry'?"'

'Wela i,' meddwn i. 'Dwi'n dallt y darn yna rŵan.'

'"Bu'n hel, ac yn dychwelyd yn saff drwy'r drysau o hyd, ond cheith y giard mo'i bardwn mor rhyw rwydd,"' meddai Gwyn. ' "Cymro yw hwn ... I hwn, ar odre hanes, rhown wlad fel mymryn o lês, a hanner co', os hynny, am y siaced felfed fu."' Cododd ei ben o'r llyfr am eiliad. '"A rhown i'r c'radur heniaith yn ddrwm at y marw maith, a hil sy'n gweddïo o hyd am i'r marw ymyrryd," ' ychwanegodd.

'Drysau'n agor ac yn cau,' meddwn i gan wrando'i lais yn taenu'r geiriau fel plastar ar dalcen fy ngho. Roeddwn i'n clywad seiren ac yn gweld lle cynnull y cannoedd, yn clywad sŵn gwag hen neuaddau a chapeli. Roeddwn i'n gweld y boi bach yn tynnu'i fadj, a'i wynt yn fyr, ac oedi wrth y gwydyr. Roeddwn i'n gweld Bryn Aur ar erchwyn y bryniau'n dyddyn oer a'i daid o'n marw.

'"Newid, mynd yn deneuach, mae'r byd o bob marw bach ..."' meddai Gwyn. ' "Rhywfodd rhaid para hefyd, tra bo un tro ar y byd ..."'

Roedd o'n sôn am yrru wash i, gyda'i weision yn linc-di-lonc hyd y lôn. Roedd o'n sôn am rai yn dŵad a gofyn i'r criw oedd yno rywun â hanes adwy i sbio'n sydyn ar y tŷ roedd am ei brynu, Bryn Aur. Mi soniodd mai yn y cymylau'r oedd y cae melyn.

'"A melyn, melyn, rhwng y cymylau,"' meddai Gwyn, ' "y rhydai irwair ar hyd ei erwau; dôi co' am lond y caeau'n disgyn, a chroen dyn mor felyn ag afalau."'

Roeddwn i'n gweld y wlad oddi tana i fel tawn i mewn awyran a'r caeau a'r coedydd yn ymestyn dros fryniau a cheunentydd. Roeddwn i'n gweld hen dŷ wedi cael clirio'r dresel a goriad yn cloi'r drysau.

Dywedodd am dwtio'r hen ddyddyn, ac am newid ei enw o wedyn.

'"Wrth gael gwâdd i angladd iaith anghofio'r cwd anghyfiaith, a'r gân ddewr, ac un neu ddau anniddig mewn neuaddau, a'r drws; y drws ym mhen-draw dwyster yr hen dai distaw,"' meddai Gwyn.

Roeddwn i'n dallt mai hwn oedd y drws roeddan ni i fod i'w agor.

'"Agor i'r gwynt o gae'r gwair,"' meddai Gwyn. '"A dail llus ar hyd y llawr, neu i rasel o awel oer."'

Dywedodd fod yna ddrws y dylem droi ei ddwrn; drws yr hyn a ddaw, ym mhen draw distaw hen dai. Caeodd y llyfr ac edrych arnaf i weld oeddwn i wedi gwrando.

'Iesu, diolch, Gwyn,' meddwn i. 'Ti wedi goleuo lot arni imi. Ffordd oedda chdi'n ei hegluro hi, roeddwn i'n gweld pethau newydd o hyd.'

Roedd o'n dal i sbio arna i. 'Wyt ti ddim yn meddwl y dylat ti fynd rhag blaen i egluro be wnest ti cyn i waed diniwed staenio cledd yr Orsedd?'

'I dwallt gwaed y gwnaed cleddau,' meddwn innau. 'Beth bynnag, roeddan nhw i gyd dros un deg wyth oed. Dwi'n mynd am dro rownd y maes.'

Roeddwn i wedi cael llond bol ar bawb yn gweld bai arna i am bob dim. Roeddwn i isio bod ar fy mhen fy hun. Roedd y stondinau i gyd ar gau, heblaw am un neu ddwy oedd yn dal wrthi'n hwrjio copïau o'r *Cyfansoddiadau*.

'Wedi cael un,' meddwn i wrth ferch ddaeth ata i i gynnig copi a dangos y copi oeddwn i wedi ei brynu gynnau. A dyma fi'n sylwi y tu cefn iddi ar stondin y Rhyddfrydwyr Democrataidd a'r gynfas wedi'i thynnu ar ei thraws. Roedd yr enw'n gyfarwydd am ryw reswm ac yna gofiais i am Hywal Dimbach yn sôn fod ganddyn nhw fap o Irac ar draws un ochor ohoni. Dau funud fues i wrthi'n daffod y clymau ac i mewn â fi i gael sbec. Roedd Hywal Dimbach yn llygad ei le. Roedd fy llygad yn loetran o'r gogledd i'r de dros Mosul, Baghdad, Basra, Al-Faw, Umm Qasr. Toedd o ddim yn fap da. Dim ond tua chant o sgwariau oedd arno fo.

Edrychais ar y sgwariau a gweld gwynab ym mhob un. Rhai fel trwy ysbienddrych a gwifren yn eu croesi, eraill yn agos agos. Gwynebau o'r tywyllwch weithiau. Gwynebau'r noson honno a'r gwynt poeth yn tynnu ar ein fferau a'r gwres yn taro ganol y nos. Yr adeg orau o'r dydd i mi; o leiaf dwyt ti ddim yn mygu. Aethon ni oddi amgylch y pencadlys. Dyna oedd ein hordors ni. Gan fod y trydan heb ei ailgysylltu roedd y strydoedd yn dywyll ac oglau paraffîn ar yr awel. Aroglau tanau coed. Dinas yn berwi'n ddistaw ar bob llaw inni. Waeth mor dlawd, waeth mor wael oedd pethau cynt, tydyn nhw ddim isio ni yma. Clywais oglau'r llwch cyn clywed y cerbyd bron. Daeth amdanom; nid oedd yn arafu ar waetha inni saethu i'r awyr. Roedd yn sgrialu amdanon ni; mi drois fy nryll mawr a'i chwalu'n rhacs. Ddaeth neb yn fyw o'r danchwa. Dim ond wedyn ddaru ni ddarganfod mai teulu ar y ffordd i'r ysbyty oeddan nhw a'r wraig yn feichiog ar fin esgor.

Cefais fy nhalu am wneud hynna. Maen nhw'n ein dysgu ni nad ydan ni ddim angan cydwybod mewn rhyfal. Doedd gen i ddim help, doedd dim bai arna i. Ond doedd eu geiriau o gysur yn golygu dim bellach. Roedd yn rhaid imi wybod be oeddwn i wedi'i wneud. Dyna pam es i chwilio am hanas Ali Muzaraa Al-Hayd, ei wraig Faroz a'i gyfnither Shazar a'u plant saith ac wyth oed a'r babi ar ei ffordd i'r byd. Dyna pam mae'r sgrech a glywais yn fy mhen o hyd liw nos a'r byd yn cysgu.

Roedd gwynebau eraill yn rhithio o flaen fy llygaid o sgwariau'r map yna. Gwynab gwelw a'i lygaid ar agor ar ochor lôn. Roedd hyn ar ôl y rhyfal, adag yr heddwch i fod, a ninnau ar batrôl i'r gogledd o Basra. Roeddan ni'n tybio'u bod nhw 'di cael damwain. Stopio'n cerbyd arfog i holi be oedd yn bod. Bywyd arall wedi'i wastraffu heb reswm yn y byd. Eidalwr oedd Pietro Cardone ddaru egluro be ddigwyddodd; dywedodd ei fod o'n archaeolegwr. Roedd o a'i wraig Mirella a'i ladmerydd Saad Mohamed Sultan a'u gyrrwr ar y ffordd i safle archaeolegol i'w asesu pan ddaethon nhw at ddau Hymfi Americanaidd yn teithio'n araf o'u blaenau. Dechreuodd y gyrrwr eu goddiweddyd, a'r milwr ifanc yng nghefn yr Hymfi'n arwyddo arno i sefyll yn ôl, cadw draw. Efallai i'r gyrrwr oedi am eiliad a'r milwr ifanc yn ei amau. Cododd ei wn a saethu un fwled. Aeth hi drwy'r sgrin a tharo Saad yn y tu blaen ac allan drwy'i gefn gan grafu braich Pietro Cardone ac allan drwy ochor y car. Aeth yr Americanwyr yn eu blaen. Roeddan nhw isio help i gael Saad Mohamed Sultan i'r ysbyty. Dywedon ni wrthyn nhw nad oedd yna ddim pwynt. Roedd y fwled wedi dryllio'i galon. Doedd dim y gallen ni'i wneud iddyn nhw ac aethom ninnau yn ein blaen a'u gadael ar ochor y lôn i'r gogledd o Basra a'r haul yn machlud dros yr anialwch.

Roedd delweddau'n codi o grombil y cof i'm hanesmwytho. Gwelwn wynab barfog dan dyrban du. Gwelwn y sgwâr yng Nghandahâr a'r Talib oedd wedi'i ddal a'i ddwyn yno. Safai yno'n ei lifrai ddu a'i ddau benelin wedi'u clymu tu ôl i'w gefn a dau fawd mawr ei ddwy droed noeth wedi'u clymu hefo'i gilydd hefo cortyn. Dyn cydnerth a'i locsyn llawn yn ddu fel y fagddu a thorf wedi hel o'i gwmpas i'w weld o'n marw. Finnau'n sefyll naill ochor ac yn gweld ei lygaid yn gwibio o'r naill i'r llall i weld oedd yna rywun allai ei achub o. Ond doedd yna ddim ond dial yng nghalon y dorf o hanner cant neu fwy o ddynion a'r rheini'n gylch tyn amdano fel un gŵr yn cychwyn ei bastynu o a'i waldio fo hefo pennau'u gynnau trymion. Roedd gwaed yn ffrydio o'i geg a fyntau'n sgrechian fel oedd yr ergydion yn ei daro o bob cyfeiriad. Pan ddisgynnodd caeodd y dorf yn dynnach fyth amdano a dal i'w waldio a'i gicio yn ei ben a'i 'sennau nes oedd o'n llonydd. Pan beidiodd y curo roedd o'n cordeddu fel pry genwair yn y llwch ac yna'n crynu yn y gwres ac o'r diwadd yn llonyddu o flaen eu llygaid digyffro.

Roeddwn i'n gweld llygaid dwys Hurem Suljic yn syllu arnaf, a finnau ym Mosnia yn 1995. Roeddwn i'n clywad ei lais mor undonog â phregeth yn adrodd ei hanas wrthyf. Roeddan nhw wedi dweud y byddai'r carcharorion yn cael eu cyfnewid. Ond pan ddringodd Hurem allan o'r lorri be welodd o ond carped o gyrff ar fron y foel. Yn ystod yr oriau wedyn, dan haul tanbaid Gorffennaf, ac yna dan oleuadau dau jac-codi-baw, cafodd tair mil o ddynion a llanciau Moslemaidd Srebrenica eu saethu. Dim ond Hurem Suljic a dau arall lwyddodd i ddianc, trwy gymryd arnyn nhw eu bod wedi marw. 'Aethon ni i fyny'r allt yn ara deg,' meddai Hurem wrthyf. 'Roedd twrw peiriannau'n dod yn nes. Daeth y lorri i stop wedi troi i'r chwith ar ben y glaswellt. Gweld cae â'i lond o gyrff. Gorchymyn i ddod allan a sefyll yn rhes hefo'n cefnau at y milwyr a'n gwynebau tua'r cae cyrff. Roedd dwy sgwad saethu hefo pum milwr ym mhob sgwad. Safwn i yn y drydedd res oddi wrth y saethwyr, felly roedd dwy res rhyngddo i a drylliau'r Serbiaid. Mi glywais sŵn saethu awtomatig. Ddaru nhw syrthio arna i, ac mi ddisgynnais innau hefo nhw. Ond chefais i mo 'nharo,' meddai Hurem Suljic wrtha i. Am naw awr y buodd o yno'n gorwedd heb symud gewyn. Bob hyn a hyn byddai Serb yn cerdded y rhesi'n rhoi bwled ym mhen y rhai oedd yn symud. Ar un adeg gwelwyd y Cadfridog Mladic yn cael golwg sydyn dros y maes ac yn gadael. Yn hwyr yn y nos peidiodd y saethu. Clywodd lais yn dweud na fyddai'r meirw ddim yn cael eu claddu heno. Ond gwrthododd y gwarcheidwaid aros yn y cae cyrff ac o'r diwedd aeth pawb oddi yno. Awr yn ddiweddarach cododd Mr Suljic ar ei draed a sbio o'i gwmpas. Roedd y lleuad yn ariannu'r lli o gyrff. Triodd weiddi, 'Oes yma rywun yn fyw? Os oes, codwch, inni gael mynd.' Ni allodd yngan y geiriau, dim ond sibrwd a ddaeth o'i safn. Ond roedd yn ddigon i hogyn o'r enw Oric, 20 metr oddi wrtho, ei glywed a sefyll. Dechreuodd grio a methu stopio. Gofynnodd Hurem iddo oedd o wedi brifo. Aeth y ddau dros y cyrff i'r goedwig. Yn y bore daethon nhw at bentref wedi ei losgi'n ulw. Cawsant hyd i afalau mewn perllan. Gwelsant ddyn arall, Smail Hodzic oedd o, y trydydd dyn i oroesi'r gyflafan. Aethon nhw i ben bryn, cymryd nodyn o'r cyfeiriad a dechrau cerdded tuag at rengoedd y llywodraeth. Dridiau wedyn, a chroesi stribed wedi'i hau hefo bomiau tir ar y llinell flaen, daethon nhw at gatrawd o filwyr eu llywodraeth.

Aeth fy meddwl wedyn i'r llannerch yn Rwanda a Marcelin Kwibueta a orfodwyd i ladd ei wraig ei hun. Roedd ei eiriau yntau'n codi o'r cof eto: 'Yng nghysgodion y weirglodd roedd y plant yn dal i chwarae. Dywedodd fy ngwraig wrthyf nad oedd am guddio mwyach. Roedd geni'r baban fel agor drws iddi. Dau ddiwrnod ar ôl geni ein mab daeth yr *interamahamwe*, y rhai sy'n malu'r pryfetach. Roedd ei henw hi ar eu rhestr am ei bod hi'n Twtsi. Dywedon nhw wrthon ni iddyn nhw eisoes ladd ei mam a'i thad a'i brodyr a'i chwiorydd a'u holl blant. Dwinnau'n Hwtw ac mae'r plant yr un fath yng nghyfraith y wlad hon, oherwydd gwaed y tad. "Rhaid ichdi farw," meddan nhw wrthi. "Dwi'n gwybod," meddai hi, "ond nid o flaen y plant." Dwn i ddim ai am iddyn nhw gytuno i hyn y penderfynon nhw mai fi oedd yn goro'i lladd hi. Dywedais na allwn ladd fy ngwraig fy hun. Roedd hi'n saith ar hugain oed. Fy ail wraig. Roedd gen i dri o blant o'r briodas gynta a thri o'r ail hefo'r bychan dau ddiwrnod oed. Helion nhw'r plant i ffwrdd a mynd â ni i'r cefn lle mae'r pridd yn goch a'r dail yn drwch uwchben. Rhoes hi'r mab yn ei gadachau ar y llawr a throi ataf a'i llygaid yn llonydd. Rhoeson nhw dwca hir yn fy llaw ac fe'i cydiais â'm holl nerth ond doedd yr ergyd ddim yn galed ac ni syrthiodd hithau. "Fedra i mo'i lladd hi," meddwn innau. "Hi ydi fy ngwraig i." Tua chwe deg ohonyn nhw oedd yno, wedi amgylchu fy nhyddyn yn y bryniau. Daeth un ohonyn nhw ata i. "Os na wnei di," meddai, "mi laddwn dy blant fesul un o'th flaen, wedyn dy wraig, cyn dinistrio dy dyddyn a diwreiddio'r cnydau." Gwelais rai o'r dynion yn rhedeg ar ôl y plantos a'u dal lle'r oeddan nhw'n chwarae yn y buarth. "Lladda fi, plîs," meddai hithau. "Ond nid hefo cyllath." A gofynnodd am air hefo'i hogan hynaf. Daeth honno yn ei dagrau, tua deuddeg oed. Cusanodd fy ngwraig hi a rhoi caru mawr iddi a siarad yn ei chlust. Gwthiodd y dynion y ferch o'r neilltu a'i hel i ffwrdd. Gafaelais mewn hof. Trawais fy ngwraig ar gefn ei phen hefo hi. A'i trawo hi eilwaith. Wn i ddim faint o weithiau fu'n rhaid imi'i tharo hi ond mi lladdais hi o'r diwedd a'i chladdu yn y lle cwympodd hi. Doedd gen i ddim amser i'w chladdu hi'n iawn, wnaethon nhw ddim gadael imi. Ddaru nhw 'ngorfodi fi i fynd hefo nhw i hela chwanag o Twtsis i'w llofruddio. Mi wnes innau 'ngorau i'w rhybuddio nhw, a laddis i neb arall yr holl adeg. Taswn i wedi gwrthod eu dilyn nhw mi fasan nhw wedi fy lladd am wrthod lladd Twtsis. Roedd hynny naw mlynedd yn ôl. Pan orffennodd y lladd cefais fy arestio a dwi wedi bod yn y carchar byth ers hynny tan heddiw pan dwi'n ôl yma lle lladdais fy ngwraig y tu ôl i'r tyddyn. Mae'r plant wedi tyfu rŵan; mae'r hynaf yn un ar hugain ac ar fin priodi. Tydi hi ddim yn gweld bai arna i. "Heblaw amdana chdi fasa'r un ohonan ninnau wedi goroesi," meddai wrtha i. "Mi ddeudodd Mam wrtha i am faddau ichdi jest cyn ichdi'i lladd hi." Doedd yr un o'r lleill isio cofio dim am y peth a tydan ni ddim wedi'i drafod. Dwi'n ôl, dwi'n dal yn benteulu. Mae'r plant wedi dygymod yn dda hebdda i. Mae'r tyddyn yn dal yn gynhyrchiol a dwi'n ddigon iach i ailbriodi. Mae fy mywyd i wedi parhau ond dim ond y fi a'r plant sy'n cofio bywyd fy ngwraig i. Maen nhw wedi dweud wrth bawb am drio anghofio'r hil-laddiad er mwyn cadw'r ddesgil yn wastad.' Dyna oedd geiriau Marcelin Kwibueta wrtha i.

Roeddwn i'n dal i syllu ar y map o Irac ac yn trio gweld rhywbeth y tu draw iddo fo y gallwn ei amgyffred. Roeddwn i isio dallt atebion i gwestiynau na wyddwn i ddim sut i'w gofyn. Isio gwybod faint o waed y byd oedd ar fy nwylo, efallai. Sefyll naill ochor oeddwn i wedi'i wneud yn rhy aml, a gweld cenedl yn cael ei dinistrio. Roedd difa'r teulu ar eu ffordd i'r ysbyty wedi effeithio arna i, roedd hynny'n amlwg. Fedris i ddim cyffwrdd yn fy arfau

78

ar ôl hynny. Roedd o fel lluchio swits yn fy mhen. Doedd yna ddim byd y gallwn i ei wneud am y peth, doedd dim y gallai'r Prif Swyddogion ei ddweud na'i wneud, a nhwythau'n gwybod hynny. Doedd dim diban iddyn nhw fy erlyn i, mae'n debyg. Byddai'r stori'n un negyddol adra ac ymysg yr hogia. Calla dawo, anfon y diawl gwirion adra. Irac, Bosnia, Rwanda, Tsietsienia, Palestina, Cambodia, Cymru. Dim ond rŵan oeddwn i'n dadebru ac yn gweld fod hil-laddiad yn digwydd lle bynnag y bo gormes yn ddilyffethair.

Mi sbiis am y tro dwytha ar y map a'i sgwariau pitw. Dim ond dau o'r sgwariau oedd wedi cael eu llenwi. Y naill gan Gynghrair Atal y Rhyfel a'r llall gan rywun oedd yn honni ei fod o'n cynrychioli Donald Rumsfeld, Ysgrifennydd Amddiffyn y Gynghrair. Allwn i'm credu eu bod nhw'n gallu chwarae gêm hefo map o Irac ac fe'i rhwygis i o o'r wal a'i sgrwnsio a'i sathru dan fy nhraed. Tra oeddwn i wrthi mi rois gic i'r cownter a gyrru'r pamffledi fel conffeti i bob man i adael rhywfaint o'r cythraul allan o'm calon.

Sleifiais allan wysg fy ochor. Wn i ddim welodd neb fi ai peidio. Mewn crys Cymuned a sbectol haul mae'n siŵr mai rhywun arall fasa'n cael y bai beth bynnag.

PENNOD PUMP

Roedd yr haul yn isel dros y bryniau draw tua'r Gorllewin a finnau'n reidio 'meic tua'r maes carafannau. Erbyn hyn roedd yna bobol yn cyrraedd yn ôl i'r maes ar gyfer pethau yn y Pafiliwn gyda'r nos. Doedd neb yn cymryd sylw ohona'i. Roeddan nhw'n rhy brysur yn stopio i siarad hefo pawb arall oeddan nhw'n cwrdd â nhw. Roedd pawb i'w weld yn nabod ei gilydd heblaw fi. Es i am siop Sbâr i brynu wisgi arall a dyna lle gwelis i Gwyn Bont yn loetran y tu allan.

'Paid â meddwl bachu hwn heno,' meddwn i wrtho fo gan osod y beic yn erbyn y ffens.

'Dim angan, washi,' meddai Gwyn Bont. 'Be ti'n feddwl o hacw 'ta?' Amneidiodd tuag at sleifar o feic mynydd.

'Does yna ddim dwyn i fod yn Steddfod,' meddwn i.

'Dwi 'di cael caniatâd y perchennog,' meddai Gwyn Bont. 'Tro chdi i brynu'r lysh dwi'n meddwl.'

'Be tisio,' meddwn innau, '*Liebfraumilch*?'

'Tyd â phedwar *Stella*,' meddai Gwyn. 'Cwrw bia hi heno, nid gwin.'

'Oedd Ioan Brothen yn dda?' holais. Allwn i weld o'i llgada fo ei fod o wedi bod yn astudio *Llinell neu Ddwy*.

'Eitha,' meddai Gwyn Bont. 'Cystal bob blewyn â llwch cosmig Swpyr Ted.'

''Dach chi'ch dau o'r un blaned,' meddwn i.

'Tedigarlibwns,' meddai Gwyn.

'Dwi isio bwyd,' meddwn i. 'Cer i gadw bwrdd inni tra dwi'n nôl y cwrw.'

Roedd yna oglau ffrio golwythion a nionod o'r Gegin Ore. Dyma finnau'n taro'r caniau ar y bwrdd plastig gwyn a hel fy nhraed i'r rhes lwglyd. Doedd yr hogan lygatddu ddim yno heno eto. Roeddwn i'n dechrau amau ai breuddwydio amdani wnes i. Effaith pen mawr hwyrach. Ordris i 'stecen' achos doeddan nhw ddim yn dallt 'cig eidion'. 'Heb ei gwcio tu mewn,' pwysleisiais.

'Ydi hi'n boeth fel heddiw bob tro'n Steddfod?' meddwn i wrth Gwyn wedyn gan dynnu'r ddolen o'r can cwrw a drachtio'r hylif oer ewynnog.

'Dim ond ym Meifod,' meddai Gwyn. 'Ond tydi hyn ddim byd. Yn ne Iwrop mae hi cyn boethad ag Irac ar hyn o bryd.'

'Pam fod gen ti obsesiwn hefo'r tywydd?' meddwn innau. Toedd gen i ddim 'mynadd i fynd i drafod Irac eto.

'Ddim y tywydd sy'n fy niddori fi,' meddai Gwyn. 'Be sy'n ei greu o dwi isio'i wybod. Fydda i'n licio sylwi ar bethau, dyna'r cwbwl. Sylwi ar dreigl amsar. Weithia fydda i'n gweld amsar wedi'i rewi ac yn clywed blas, clywed poen, clywed anadl y byd ar un amrantiad. Weithiau dwi fel pêl-droediwr mewn cell a finnau'n dal y bêl uchal ag ochor fy nhroed ac yn ei meistroli. Gwyro heibio'r amddiffynnwr a'i saethu i gefn ucha'r rhwyd. Wedyn dwi'n deffro ac yn gweld y bariau.'

'Bechod iddyn nhw gau Dimbach,' meddwn innau.

'Erbyn i bobol sylwi be sy'n digwydd i'r hen fyd yma mi fydd hi'n Gantra'r Gwaelod arnon ni i gyd,' meddai Gwyn ac estyn am ganiad arall o gwrw. 'Pan fydd llif y Gwlff yn methu mi fydd hi'n ddrwg ar bawb yng Ngogladd Ewrop, hyd yn oed os na landith yr asteroid. Mae isio dal sylw i'r byd a'i betha, 'sti. Nid rhoi dy ben yn y tywod neu suddo i bot peint. Wyddost ti mai'r mis yma fydd y blaned Mawrth yr agosa mae hi wedi bod aton ni ers Oes y Cerrig? Wyddost ti y gallwn ni weld yn ôl i ddechrau amser wrth astudio'r sêr? Maen nhw newydd dynnu lluniau hefo camera arbennig a'i gaead lens o'n agored am ddeng niwrnod er mwyn cael y llun. Llun sy'n cynnwys mil a hanner o alaethau sy'n mynd yn ôl bymtheng biliwn blynedd i ddechrau amser.'

Doedd gen i ddim isio meddwl dim pellach na ddoe, felly nodiais fy mhen heb atab a heb wrando hefyd.

Roedd y stecen yn flasus, yn enwedig hefo toman o fwstard melyn poeth ar ei phen hi. Dydi Gwyn ddim yn fytwr mawr. Dyna sut mae o mor denau, debyg. Y cwbwl oedd gan Gwyn oedd salad a thysan drwy'i chroen.

'Mathematag ydi'r arf orau at agor drysau amsar,' meddai Gwyn gan bigo'i salad hefo'i fforc blastig. 'Dyna ichdi'r prif rifau rŵan. Mi wyddost am y prif rifau?'

'Athro ddylat ti fod,' meddwn i. 'Achos does yna affliw o neb yn gwrando arna chdi.'

'Sgin i ddim isio dysgu dim byd i neb,' meddai Gwyn.

'Ryw syniadau a geiriau a ballu ydi dy betha di 'di bod erioed,' meddwn i. 'Ac eto ti 'rioed wedi byw yn y byd go iawn yn naddo? Be sy'n rhoi y ffasiwn ffydd ichdi mewn geiriau?' Tynnais fy sbectol haul am ennyd i gael sbio arno fo'n iawn. '"Wrth eu gweithredoedd yr adnabyddwch hwynt" medda'r Beibl, nid "wrth eu geiriau".'

'Geiriau sy'n creu gweithredoedd,' meddai Gwyn. 'Dwi'n cofio un tro pan oeddwn i tua'r naw oed oeddwn i isio rhedag ar draws lôn at y fan hufen iâ. Gwaeddodd rhywun "Aros!" ac mi stopiais yn stond ar erchwyn y pafin a gwynt y lorri ludw fel ton drosta i. Daeth y dyn ata i a dweud, "Welist ti beth mor bŵerus ydi un gair?" Dwi'n dal i gofio'i eiriau fo hyd heddiw.'

'Ond gwerthu petha ydi dy waith di yn y bôn,' meddwn i. 'Dyna be ydi marchnata.'

'Gwerthu hysbysebion, petha felly,' meddai. 'Felly mi rydw i'n byw yn y byd go iawn, ti'n gweld. Ond ti'n 'cáu trafod y rhyfal. Dwinna ddim isio trafod fy ngwaith pob dydd. Tydio'm yn berthnasol. Y petha dwi'n sgwennu liw nos ydi'r unig waith creadigol dwi'n neud a hwnnw sy'n bwysig i mi.'

'Sgwennis i gardyn post unwaith,' meddwn i. 'Roeddwn i'n cael traffarth i'w lenwi o felly sgwennis i'n enw'n fawr o dan y cofion gorau.'

'Dal wthi?' meddai Huw Penmachno gan daro pedwar can o *Stella* ar y bwrdd ac ista i lawr. 'Neith hi beint ym Mhontrobat cyn gìg Jarman?'

'Dwn i'm,' meddai Gwyn Bont. 'Sgynnoch chi ddim awydd aros i wrando Cabarê Radio Cymru?'

Oedd o'n swnio fel bod ganddo fo 'i dafod yn ei foch? Ar y llwyfan ger y lle bwyd roeddwn i'n gweld Wali Tomos a George yn gafael yn eu meics. Roedd yna blant ar gefn beics yn gwibio'n igam-ogam ar draws y cae, eraill yn cicio pêl a rhai'n taflu ffrisbi o'r naill i'r llall. Roedd yna deuluoedd a phlant yn hel o gwmpas y byrddau i wylio'r sioe. Eraill yn agor byrddau plygu ac yn ista wrth y rheini.

'Pontrobat amdani,' meddwn i gan godi ar fy nhraed.

Erbyn dallt roedd gan Huw Penmachno yntau feic. Mi glymodd y caniau mewn bag wrth yr handlen ac i ffwrdd â ni fel Sioni Winwns ar eu ffor adra o'r Ffes Nos. Siglo hyd y lôn alwminiwm rhwng y plantos a'r pramiau, troi i'r chwith wrth y siop awê i geg y lôn. Ychydig o geir ddaru basio, y rhan fwyaf yn dod tuag atom. Roeddan ni'n reidio rhwng dwy res o goed poplys. Ymhen cwta hannar milltir roedd yna dro yn y ffordd a phont gerrig a sŵn afon. Oedd Gwyn isio stopio am ganiad o gwrw a smôc. Roedd yna adwy laswelltog yr ochor draw i'r bont ar y chwith.

'Taro'r caniau'n dŵr i'w hoeri nhw,' meddwn i wrth Huw. Doeddan ni ddim angan y fflashlamps o ben blaen y beics, dim ond rhyw las nosi oedd hi.

Roedd y dŵr yn oer braf am fy nhraed a finnau'n ista ar garrag fawr a'i thrwyn mwsog yn rhedag hefo'r afon. Gwyliwn y pryfaid mân yn gwibio hyd y lle fel gwreichion tes. Llenwais fy sgyfaint hefo'r oglau dŵr a mwsog yn gymysg. Siarad am Steddfodau'r gorffennol oedd Huw a Gwyn. Ychydig ar y naw ohonyn nhw oeddwn i wedi bod ynddyn nhw rhwng bob dim.

'Be am Gwm Rhymni?' meddai Gwyn. 'Dwi'n cofio chdi'n honno a ninnau'n aros yn y maes pebyll.'

'Gin i ryw go,' meddwn i. 'Ddaru hi ddim bwrw glaw ddechra'r wythnos?'

'A chditha hefo paball oedd ddim yn dal dŵr,' meddai Gwyn. 'Roedd 'yn sach gysgu fi fel sachad o wymon.'

Roeddwn i'n cofio'r rhesi tai ar hyd ochor y cwm. 'Ia, a'r un noson gaethon ni gyfla i aros dan do mi wnest ti lanast ohoni a chael ein hel o'na i ganol y nos.'

'Matar o egwyddor oedd o,' meddai Gwyn. 'Fedrwn i ddim aros yno ac un o'r hogia wedi cael cic allan.'

'Be ddigwyddodd?' gofynnodd Huw Penmachno gan dynnu can o *Stella* o'r afon.

'Wedi mynd i gìg Bob Delyn oeddan ni,' meddwn i. 'Mewn hen westy dwy a dima, ond bod ni 'di cael lle i aros ar lawr yn un o'r llofftydd. Ond bod y Sais oedd biau'r lle wedi ffeindio'n bod ni yno ac isio'n hel ni allan. Hogyn o'r enw Gorwel oedd bia'r llofft a chwara teg i hwnnw mi ddeudodd wrth y Sais am adael llonydd inni.'

'Mr Henderson oedd enw'r boi,' meddai Gwyn. Fydd hwn yn cofio pob dim, dim ots faint mor ddibwys.

'Wel gafodd Gorwel ei hel o'na gin Mr Henderson,' meddwn i. 'A ninnau'n teimlo'n ddrwg am mai arnon ni oedd y bai. A dyma ninna'n gadal a mynd i chwilio amdano fo rhag ofn ei fod o wedi syrthio i ryw bwll glo neu rywbath. A dyna lle'r oeddan ni'n rhuthro fel petha gwyllt o gwmpas y gwesty'n y tywyllwch yn gweiddi "Gorwel" dros bob man.'

'Ia,' meddai Gwyn, 'a'r bora trannoeth dyma'i fêt o oedd wedi aros mewn llofft arall yn gofyn i Mr Henderson lle roedd ei ffrindia fo. A hwnnw'n atab, *"Your friends have left, and I know what Gorwel means"*.'

'Dwi 'di clywad y stori o'r blaen,' meddai Huw.

'Dim ots,' meddai Gwyn Bont, 'ond gweitsia imi orffan, achos welis i'r boi gwesty yna'r ha dwytha 'sti.'

'Yn lle?' meddwn i.

'Ar lan môr Criciath,' meddai Gwyn. 'O'n i hefo rhyw gwrs yn Nhŷ Newydd ac wedi mynd i lan môr i drio meddwl am rywbath i'w ddeud adag sesiwn y pnawn. Roedd hi'n ganol haf hirfelyn a'r haul yn isel ar y gorwel a'r llanw'n dechrau llempian dros y creigiau. Gweld dyn mewn cwch rwbar yn mynd heibio'r graig allan am y môr. Wrth lwc daeth ei gortyn bachu o heibio a finna'n gafal yn sownd ynddo fo a gweiddi:

'Dowch i'r lan neu mi foddwch! Llanw newydd droi.'

'*"English!"* gwaeddodd y dyn. *"Let go of my boat."* Dyna pryd nabyddis i o.

'*Oh, I'm sorry, Mr Henderson,*' meddwn i gan ollwng y rhaff. '*I didn't recognise you. How are things at the Black Mountain Hotel?*'

'Ond ddowt gin i glywodd o achos erbyn hynny roedd o'n smotyn ar y gorwal. Sy'n profi nad oedd o ddim yn dallt ystyr y gair o gwbwl.'

'Dwi'n cofio boi ar fws Benllach,' meddwn i, 'a hwnnw'n dweud nad oedd nunlla'n debyg i Benllach a finnau'n gofyn am docyn i nunlla plîs achos fasa fo ddim yn gallu bod dim gwaeth.'

'Be ddiawl oedda chdi'n da yn Benllach?' meddai Gwyn Bont.

'Dwi'm yn cofio,' meddwn i. Wedi bod draw i gnebrwng Dewi oeddwn i. Ddyla 'mod i ddim wedi mynd i'r dafarn, dwi'n gwybod. Oedd raid imi adael y car yno wedyn, a chael bws yn ôl i Fangor.

'Be ti ddim yn ei gofio,' meddai Gwyn, 'bod yn Benllach 'ta pam oedda chdi yno?'

'Y ddau,' meddwn i a thaflu carrag i sgipio ar y dŵr.

'Pump gwaith,' meddwn i. 'Cura hyn'na, Gwyn Bont.'

'Twt, twt,' meddai Gwyn Bont. 'Rhaid ichdi barchu dy go, 'sti. Dy go di ydi'r peth pwysica un. Dim ond rŵan mae pobol yn dechra dallt sut mae o'n gweithio.'

'Pobol fel ni, rŵan?' meddwn i gan bwnio Huw. 'Paratoi am ddarlith.'

'Reit sydyn 'ta,' meddai Huw. 'Wyt ti am ei phasio hi rywbryd heno?'

'Ryw Athro Tully o Efrog Newydd sy wedi darganfod yr atebion,' meddai Gwyn Bont gan dynnu'n ddwys ar ei smôc. 'Wyddost ti hefo be mae o wedi bod yn arbrofi?'

'Mwncwn,' meddai Huw Penmachno.

'Beirdd,' meddwn innau.

'Nacia, hefo pryfaid ffrwythau,' meddai Gwyn Bont. 'Wedi magu pryfaid hefo cof anhygoel.'

'Mae 'na rai felly ar Gyngor Sir Conwy,' meddai Huw Penmachno.

'Taw,' meddai Alun. 'Mae Wil Chips isio clywad.'

Nodiais fy mhen yn ufudd er mwyn ei blesio fo ac mi pasiodd hi o'r diwadd. 'Pryfaid Pafel mae o'n eu galw nhw,' meddai Gwyn. Dwn i ddim lle mae o'n cael y straeon yma sy'n hollol amherthnasol i weddill y byd a'i betha. 'Eu henwi nhw ar ôl Cŵn Pafel ar ôl y boi 'na hefo'i gŵn cofiadwy draw ym Mosco.'

'O, Pafel 'achan,' meddwn i fel pe bawn i'n byw drws nesa iddo fo. Doedd gin i ddim clem am be oedd o'n mwydro erbyn hyn.

'Wrth ganu cloch cyn bwydo'i gŵn mi fydda Pafel yn profi bod ganddyn nhw gof cysylltiadol.'

'Be uffar ydi "cof cysylltiadol"?' meddai Huw.

'Wel,' meddai Gwyn, 'wrth glywed y gloch roeddan nhw'n dechrau glafoeri 'toeddan? Be oedd dy gi di'n ei wneud pan oedda chdi'n agor tun iddo fo? Wel mi ddysgodd y pryfaid wahaniaethu rhwng dau ogla, un hefo sioc drydan ar ei ôl a'r llall heb.'

'Rhyfadd na fasa'r Iancs yn cwyno am greulondab i bryfaid,' meddwn i.

'Ddaru nhw, ond mi eglurodd mai sioc bach iawn oedd hi.'

'Sioc bach yn fawr i bry, cofia,' meddwn i.

'Paid â thorri ar draws,' meddai Gwyn, 'neu orffenna i byth mo'r hanas. Deg sioc oedd o'n gymryd i'r pryfaid cyffredin ddysgu, ond roedd y pryfaid cof yn gallu dysgu ar ôl y sioc gynta. Trwy arbrofi hefo geneteg y pryfaid mi roedd o'n gallu cynyddu neu leihau'r cof fel y mynnai hefo protein o'r enw Creb. O ran peirianwaith mae cof pry'n debyg i'n hun ni.'

'Ddeudis i fod yna rai'n Sir Conwy,' meddai Huw Penmachno.

'Ar niwrogemegau mae o'n dibynnu,' meddai Gwyn.

Peth rhyfadd hefo Gwyn, dim ots os ydi hi'n gynulleidfa o un, mi eith yn ei flaen yr un fath. Dyna pam oedd o ddim yn siomedig ar ôl y pnawn yma. Dyna pam na ddaru neb aros tan y diwadd.

'Y cof tymor hir sy'n cofio pethau ddigwyddodd llynadd neu'r wythnos diwethaf,' meddai wedyn. 'Maen nhw'n ddiogal yn y cof tymor hir, ac mi fedran frigo i'r wynab unrhyw adag, ond tydi'r pethau ddigwyddodd funud neu ddau'n ôl ddim wedi eu trosglwyddo o'r cof tymor byr eto ac mi fedran nhw gael eu colli. O ran eu cadw, proses gemegol o fewn y system nerfol ydi hi, ond o ran eu dwyn i gof mae hi'n broses drydanol sydd angan saethu celloedd nerfol ar draws cysylltiadau'r nerfau.'

'Mae rhai pobol yn cofio'n well na'i gilydd,' meddai Huw. 'Ond tydi be maen nhw'n ei gofio ddim bob amsar yr un fath. Taswn i'n gweld y Cynghorydd Pwyllog Morris yna ar noson dywyll!'

'A fo'n byw mewn tŷ gwellt, gofalad am ei dân,' meddwn i yn diwadd. Toedd pawb yn gwybod fod Huw Penmachno mewn helynt hefo'r Cyngor a'i fai o 'i hun oedd o hefyd. 'Mae rhai pobol isio anghofio ac yn methu gneud hynny.'

'Tydi cof tymor hir da ar ei ben ei hun ddim bob amsar yn gaffaeliad,' meddai Gwyn. 'Ydach chi wedi clwad sôn am Shereshevsky?'

'Yr Archdderwydd newydd?' holais.

'Nacia, dyn o Rwsia yn y tri degau oedd yn gallu cofio rhes o fformwlâu mathamategol cymhleth bymtheng mlynedd ar ôl eu gweld am yr unig dro. Ond fedrai'r cradur ddim cynnal sgwrs hefo pobol gyffredin na chynnal swydd.'

'Doedd o ddim yn gweithio i Gyngor Conwy?' meddai Huw Penmachno.

Roedd y cysgodion yn dechrau dyfnhau o dan y bont a rhyw awel yn taro fy ngwegil. 'Ydi'n amsar inni symud, 'dwch?' meddwn i gan estyn am fy sgidiau a'm sanau.

'Mae pobol wedi credu erioed fod dysgu a chofio'n bethau unigryw, ysbrydol bron,' meddai Gwyn Bont. 'Ond gweithred fiolegol ydi cofio, yr un fath â gwaith yr arennau neu'r galon. O fewn y degawd mi fydd yna gyffuriau ar gael i drin y cof i'w ymestyn neu'i addasu.'

'Hwyr glas inni gael triniaeth atal malu cachu i chdi,' meddwn i a finna'n cael fy mhlagio gan y gwybed bach.

Heibio cae dan ei sang o india corn glas, roedd yna gae arall hefo sgwâr mawr o wenith melyn yn sefyll yng nghanol sofl y cae a chyrff brain yn crogi ar wifren a stanciau o'i gwmpas. Ar gyfar y cae roedd ceg lôn yn agor a honno'n codi rhwng dau glawdd dreiniog. Roedd yna arwydd mawr gwyrdd hefo sgwennu coch ar ben y clawdd yn dweud '*Croeso i Blas Dolabram. Cwrw Rhad. Miwsig Da. Dewch yn Llu.*'

'Chlywis i rioed sôn am fan'ma,' meddai Huw Penmachno.

'Awn ni,' meddwn inna. 'Fedar o ddim bod yn bell.'

Agorodd Gwyn Bont ei geg ond ddaru'r ddau ohonom godi bys uwd arno fo i'w atal. 'Dim gair arall tan 'dan ni'n cyrraedd,' meddwn i.

Wedi gwthio'r beics i fyny'r allt drwy'r inc cysgodion

daethon ni i fuarth golau dan awyr yn frech goch o sêr. Roedd lleuad hannar llawn yn sownd yng nghoed y gefnan am yr afon â lle oeddan ni'n sefyll. Doedd yna'r un adyn byw yn unman i'w weld na'i glywad. Dim cŵn yn cyfarth. Dim gwarthag yn brefu. Dim llawar o ogla tail. Dim ond arwydd mawr arall yn dweud 'Croeso i bawb i Blas Dolabram'.

'Pwy ydi'r "pawb" 'ma?' meddai Gwyn. 'Dim ond y ni sy 'ma.'

'Beryg fod nosweithiau'r lle yma wedi gweld dyddiau gwell,' meddwn i wrth fyseddu'r cadwyni oedd yn cloi drysau'r sgubor.

Mi fentrais cyn belled â drws y Plas a'r rhosod melyn yn gwywo o'i amgylch, a hwnnw'n gil agorad a rhyw olau melyn yn llifo o'r adwy.

'Ddrwg iawn gen i styrbio neb,' meddwn i wrth y drws. 'Oes 'ma bobol?'

Daeth boi i'r trothwy a sbio arna i fath â 'swn i newydd landio o blanad arall.

'Ddim heno mae'r noson lawan, felly?' meddwn i.

'Negie,' meddai.

'Ddrwg iawn gynnon ni,' meddai Gwyn gan groesi ato fo.

Hogyn tua'r un oed â ninnau oedd o hefo slipars am ei draed. 'Mae'r cwbwl wedi cael ei ganslo,' meddai. 'Dewch i mewn os leiciwch chi.'

'Gymri di ganiad o lagyr?' meddwn i.

'Ddim diolch,' meddai.

Aethon ni i gael busnés bach, wedi dŵad cyn belled. Honglad o le mawr, ond rêl tŷ hen lanc; bocsys ar hyd y llawr a llestri wedi'u lapio mewn papurau newydd yn sticio allan ohonyn nhw. Cyfrifiadur penarffed yn fflachio ar dudalan gartra *Google* Cymraeg.

'Band llydan a bob dim,' meddai pan welodd fi'n sbio ar y cyfrifiadur. 'Un o'r ychydig fanteision o fod ar y ffin, 'dan ni ar yr un rhwydwaith â Lloeger.'

Roedd cloc y pentan yn braf mewn haenau o blastig swigod yn y bocs orenau a'i hôl o'n amlwg ar y silff ben tân. Roedd y llestri gorau'n un twmpath ar y carpad, a'u hôl nhwythau'n dal ar gefn silffoedd y ddresal.

Eglurodd ei fod wrthi'n gwagio'r tŷ. Ei daid a'i nain oedd biau'r lle. Pan farwodd ei nain mi fuo'n rhaid i'w daid fynd i'r cartref hen bobol lawr y lôn ond doedd o ddim wedi setlo. Byddai'n poeni am y gwenith a dagrau weithiau'n ei lygaid pan fyddai'n sbio a gweld y brain yn troi uwchben. Roedd y ddau ohonyn nhw bellach ym mynwent Meifod. Fo oedd yr unig un o'r teulu oedd ar ôl. Roedd o'n diolch na ddaru nhw ddim byw i weld y lle'n cael ei werthu. Roedd y lle'n ormod o gowlaid iddo fo ar ei ben ei hun. Roedd yna waith gwario i gael y lle i drefn a toedd gynno fo mo'r pres na'r nerth i'w wneud o ar ei ben ei hun.

Roedd o'n 'difaru'r syniad gafodd o i drio elwa ar ymweliad y Steddfod achos roedd hwnnw wedi mynd i'r gwellt fel pob dim arall driodd o erioed. Y broblam bob tro iddo fo oedd y fiwrocratiaeth.

Rhoes ei sgidiau hoelion yn ôl am ei draed a mynd â ni i ddangos be oedd o wedi'i baratoi. Hen sgubor nobl hefo distiau o dderw'n codi fel pontydd o dan y nenfwd. Fel hyn oedd yr hen neuaddau fydd Gwyn yn sôn amdanyn nhw, dwi'n siŵr.

'Ydi, mae hi'n hen,' meddai Alun. 'Ond sbïwch drwy fan'na lle mae'r bar a'r gegin a'r toiledau. 'Dan ni'n sôn am waith gwario sylweddol yn fan'ma.'

'Wnest ti hyn i gyd ar sbec?' meddai Huw Penmachno.

'Dyna be wnest titha,' meddwn i wrtho fo. Row am godi tŷ heb ganiatâd gafodd o, er mai'i deulu o bia'r tir. Dyna ydi'r sôn.

'Sbïwch y garrag aelwyd fawr yma,' meddai Gwyn. 'Ydi'r simdda'n tynnu?'

'Fel ffliwt,' meddai Alun.

'Neuadd oedd hi un adag,' meddai Gwyn.

'Dyna wnes inna feddwl,' meddwn i ond doedd Gwyn ddim isio gwrando.

'Mae'n amlwg fod y Plas ei hun sbel yn ddiweddarach,' meddai. 'Be ydi cyfnod yr adeilad yma?'

'Mi codwyd o tua un chwech chwech chwech,' meddai Alun.

'Sut gelli di fod mor siŵr o'r dyddiad?' meddai Gwyn.

Pwyntiodd Alun at lechan uwchben y drws.

'Ti 'di gwario ffortiwn i gael y lle yma'n barod,' meddwn i. 'Be oedd ar dy ben di? Dim ond wythnos mae'r Steddfod yn bara.'

'Meddwl ei fod o'n adag da i roi'r cwch yn dŵr oeddwn i,' meddai Alun. 'Isio gwerthu, ddim isio gwerthu. Rhaid i'r lle arallgyfeirio; meddwl 'swn i'n ei wneud o yn hytrach na neb arall. Fenthycis i'r pres. Mi wnes i'r gwaith. Wedyn pan oeddwn i isio trwydded i'r bar ges i ngwrthod yn do oherwydd iechyd a diogelwch. Gynigis i wneud y gwaith yn syth ond doeddan nhw ddim isio gwybod.

' "Dewch yn ôl aton ni pan fydd y lle'n barod," meddai'r fainc.

'Finnau'n gofyn i'r twrne pryd faswn i'n gallu mynd yn ôl atyn nhw.

' "Fis Medi", medda fynte. Felly aeth yr holl beth yn ffliwt a dwi am roi'r ffidil yn to. Ges i gynnig rhyddid unwaith ac mi dwi am fynd ar ei ôl o. Gewch chi beint o'r gasgen â chroeso 'blaw sgen i ddim hawl i godi pres amdano fo.'

'Ffeind iawn, diolch,' meddwn innau.

'Oes gin ti brynwr?' holodd Huw Penmachno.

'Pam, eisiau rhoi cynnig wyt ti?' chwarddodd Gwyn Bont.

'Mae 'ne rai dierth wedi bod yma'n sbio'r lle,' meddai Alun wrth lenwi'r gwydrau. 'Gweld potensial i wneud lle gwely a brecwast *upmarket* a ballu. Troi'r beudai'n fythynnod hunanarlwy. Mi gân ganiatâd i godi byngalos ar hyd yr afon, meddan nhw. Faswn i ddim yn cael, a faswn i ddim isio difetha'r ddôl isa lle 'dan ni'n hau'r gwenith. Dwi 'di gwerthu'r stoc, sy'n safio hefo porthi.'

'O'n i'n sylwi fod y lle'n ddistaw gynnau,' meddwn i.

'Mae hi 'run fath ym mhobman,' meddai Huw Penmachno. 'Mae Cymru'n mynd yn llai fesul cae, ond os wyt ti'n dweud rhywbeth amdano fo maen nhw'n galw chdi'n hiliol. Bydda Saddam Hussein yn gofyn am bres y bwledi gin deuluoedd rheini fydda fo'n eu saethu.'

'Mi rydach chi'n llawn hwyl a miri heno'r cwbwl lot ohonach chi,' meddwn innau'n bwdlyd. 'Tydi pethau ddim yn fêl i gyd i minnau.' Sodrais fy ngwydr dan y tap i'w lenwi. 'Ddim i gael downar y dois i i'r Steddfod ond i gael parti.'

Roedd hi'n ddifyr ond ychydig yn wag yn Nolabram. Diod sydyn ac ymlaen i Bontrobat. Dyna oedd y syniad. Ond aeth Gwyn i ddechra malu cachu eto ac Alun yn rhoi clust iddo fo.

Gwyn yn troi at Alun ar ôl tanio un arall a dweud:

'Dwi'n meddwl siŵr mai William Blake ddeudodd os bysa drysau amgyffred yn cael eu glanhau byddai pob dim yn ymddangos i ddyn yn ddi-ben-draw.'

'Mae'r di-ben-draw tu hwnt i'n crebwyll,' meddai Alun.

'Yndi ar hyn o bryd,' meddai Gwyn. 'Ond mewn mathemateg 'dan ni'n dechra medru disgrifio di-ben-drawdod. Dychmyga fod yna ardd arall newydd sbon yng nghell ddiwethaf deilen olaf llwyn diwethaf yr ardd olaf un.' Tynnodd ar ei rôl a golwg fyfyrgar arno fo.

'Mae yna rifau mor fach maen nhw'n chwythu fel llwch drwy gadwyni'r rhifau eraill heb adael dim o'u hôl. Maen nhw'n gweithio ar beiriant chwilio fydd yn gallu'u hela nhw a'u dal.' Edrychodd arnom a chymryd llymad o'i gwrw. 'Ydach chi'n cofio be ydi rhifau cysefin?'

'Ym, na,' medden ninnau. Roedd yr artaith i barhau. Ar ei orau byddai Gwyn yn ddifyr. Ar ei waethaf roedd o'n athro mathematag.

'Dim ond y rhif ei hun a'r rhif un sy'n gallu rhannu rhif cysefin,' eglurodd. 'Mae'r rhif dau yn gysefin, a thri a phump a saith ac un ar ddeg ac un deg tri ac un deg saith. Ond os trïwch chi ddyfalu pryd cewch chi rif cysefin nesa mi gewch ail. O'r rhifau cysefin y gwnaed pob rhif anghysefin: saith a thri ydi ffactorau cysefin dau ddeg un er enghraifft.'

Rhoes Huw ei law i fyny. 'Os gwelwch yn dda, syr, ga i fynd i'r toilet?'

'Nachei,' meddai Gwyn.

Aeth Huw allan i biso.

Anwybyddodd Gwyn ei ymadawiad. 'I ddarganfod rhifau cysefin rhaid ichi brofi na fedrwch mo'u rhannu nhw hefo rhif cysefin arall. Byddai profi rhif hefo can digid fel gwirio pob sbecyn yn y bydysawd. Rhifau cysefin ydi'r sêr ar ffurfafan mathematag. Eto does gynnon ni ddim syniad pryd y cawn ni hyd i'r un nesaf. Mi fyddwn ni filiwn o flynyddoedd eto cyn deall y rhifau cysefin yn iawn.'

'Fyddwn ni'r un faint cyn cyrraedd Meifod,' meddwn i gan godi a mynd am y drws. 'Tyd hefo ni, Alun.' Gafaelis yn ei fraich. 'Tyd laen, fachgan, sgin ti ddim dewis. Chei di ddim aros yma i bwdu hefo dy ben yn dy blu.'

Doeddwn i ddim yn meddwl y deua fo ond mi ddôth yn diwadd. Ac mi luchiodd y beics i gefn ei landrofar ac i ffwrdd â ni mewn steil. I lawr y lôn wen rhwng y cloddiau drain i'r lôn bost a thros y bont, osgoi'r ieuenctid chwil o gwmpas ceg Maes B a heibio'r ciw bws wennol draw i Feifod mewn dau funud.

Tu allan i'r *King's Head* roedd yna dorf yn hannar cylch o amgylch y dafarn. Aethon ni i'r fynwent dros ffor' am dro bach cyn mynd am beint. Sylwis i ar un o'r cerrig beddau i'r dde o'r llwybr fel ti'n cerdded am y drws. Doedd Alun ddim yn cofio'r hanas, medda fo. Roedd yno fam a phump o blant ond dim gŵr. Tri o'r plant wedi marw yr un diwrnod yn ddwy, yn bedair ac yn saith oed. Doedd dim eglurhad sut na pham. Y fam yn marw wedyn ymhen deng mlynadd. A'r ddwy ferch hynaf ryw dair blynadd wedyn o fewn rhyw fis i'w gilydd yn un deg wyth oed ac yn ddau ddeg dwy oed.

Roedd coed yw yn rhes ar hyd y wal a'r golau stryd yn creu patrymau ar hyd y cerrig.

'Ydan ni am beint, neu beidio?' meddai Alun. 'I be ydach chi isio dŵad i ryw fynwent? Gewch chi smocio hon'na tu mewn.'

Aethon ni ar draws y stryd at ymyl y dorf i sefyll wrth y wal a finnau'n mynd i nôl cwrw. Gwthiais at y bar a hogyn chwil o Langwnadl yn gofyn imi brynu fodca iddo fo am ei fod o dan oed. Gymris i'i bres o a gofyn am fodca iddo fo.

'Ddim iddo fo?' meddai'r hogan yn amheus.

'Nac'ia, i fi,' meddwn i. 'A tri pheint o chwerw.'

'Hwda,' meddwn i wrth yr hogyn o Ben Llŷn ond roedd o wedi mynd felly daliais fy ngafael yn ei wydr o. Ges i hambwrdd a gaddo'i ddychwelyd. Sori. Roeddan ni'n sefyll yn ochor y tŷ a'n cefnau at wal gerrig hanner ffordd rhwng y stryd a'r babell lle roedd Jarman i ganu. Roedd hi'n gynnas braf allan. Alun yn nodio'i ben ac yn edrych o'i gwmpas ac yn dweud 'helô' wrth hwn a'r llall.

'Ddylat ti ddŵad allan yn amlach,' meddwn i wrtho fo.

'Fawr o hwyl ar dy ben dy hun,' meddai Alun.

'Ti'n nabod pawb ffor' hyn, siawns,' meddai Gwyn Bont. 'Siŵr fod yma ddigon o ffermwyr lleol eraill yn hel am beint liw nos.'

'Hwyrach wir,' meddai Alun. 'Sgin i ddim isio troi allan am beint. Well gin i aros adra i ddarllen llyfrau. Beth bynnag, ychydig o rai Cymraeg 'run oed â fi sydd ar ôl ffordd hyn. Tydan ni'n cael ein gwasgu o bob ochor gan bres y ddinas?'

'Felly mae hi,' meddwn i gan gicio fy sodlau yn erbyn bôn y wal. Doeddwn i ddim isio pregath arall a Jarman ar fin dechra. Yn anffodus roedd hi'n ymddangos mai pregath oeddan ni am ei chael.

'Hanner y ffermydd yn mynd i bobol ddŵad o'r dinasoedd,' meddai Alun. 'Ryw noddfa rhag y bywyd hectig, meddan nhw.'

'Ffeiria le hefo nhw 'ta,' meddwn i braidd yn ddiamynadd.

'Isio prynu maen nhw, nid ffeirio,' meddai Alun. 'Roeddwn i'n siarad hefo Bob Tai Maldwyn. Dweud oedd o nad oeddan nhw ddim wedi gwerthu ffarm i ffarmwr ers tri mis. Y llefydd hefo hawl i saethu sydd hefo'r mynd mwya arnyn nhw.' Cymrodd ddracht o'i gwrw a rhoi'i beint ar ben y wal. 'Dynion mewn siwtiau gydol yr wythnos isio mynd allan i ladd pethau dros y Sul. Pris tir wedi codi y tu hwnt i'w werth amaethyddol. Dyna ydi'r drwg yn y caws.'

'Gwerthu'r wlad a'i henaid yn denig rhwng ein bysedd,' meddai Huw Penmachno. Tawn i'n marw mae fynta isio bod yn englynwr hefyd, nelo'r ffor' mae o'n siarad.

'Wyddoch chi be sy'n digwydd wedyn?' meddai Alun. 'Cwyno. Cwyno bod tractor o'i flaen o ar y lôn, cwyno bod chwalu tail yn gwneud ogla cachu, cwyno bod brefu'r gwartheg yn tarfu ar ei lonyddwch o.'

'Maen nhw'n gwybod be maen nhw'n neud, cofia,' meddai Huw. 'Cadw'r tŷ a dwy neu dair erw o'r tir gorau a gosod i dalu'r costau.'

'Pobol ddierth ydyn nhw o ben y foel acw i lawr i'r gwastatir,' meddai Alun. 'Fedrwch chi ddim gweld y gwahaniaeth yn y caeau eto. Fedrwch chi ddim gweld y gwahaniaeth ym mwclis y waliau sy'n powlio fel dagrau i lawr o'r garn.'

Edrychais ar Alun i weld oedd o hefyd newydd droi'n fardd dan ddylanwad yr Eisteddfod. Roedd o'n dal i edrach fatha ffarmwr.

'Clywch, clywch,' meddai Gwyn Bont. 'Rhaid inni i gyd fyw o fewn ein stori'n hunain.'

'Yma i wrando ar Jarman ydan ni, ynta arnoch chi'n siarad fel ymgynghorwyr?' meddwn i.

'Gwrando ar Jarman,' meddai Gwyn Bont.

'Hen bryd,' meddwn i.

' "Ethiopia Newydd" oedd y diwrnod ddaru petha

newid,' meddai Gwyn. 'Dwi'n cofio gwrando arni a gweld drwy'r ffenest y byd yn newid yn raddol o flaen fy llygaid. Roedd yr haul yn goch yng nghanol y rhedyn. Roeddwn i'n gweld ystyr i'r gair rhyddid am y tro cynta. Dyna'r adag benderfynais i 'mod inna isio trin geiriau. Deudwch os dwi'n malu cachu,' meddai.

'Ti'n malu cachu,' meddai Huw a finna. Cododd Alun ei sgwyddau.

'Rownd chdi, Huw,' meddwn innau.

PENNOD CHWECH

Aeth Huw i drio codi peint inni. Edrychais yn galad yn llygad y fodca yn fy llaw. Pan godais fy mhen pwy welis i'n dŵad tuag ataf ond yr hogan heglog o'r Caffi hefo'r llygaid tywyll, ond heb ffedog y tro yma. Roedd hi'n gwisgo siwt dynn a'i sodlau uchel yn taro'r lôn yn glep. Roedd yna rosod pinc ar ei siaced, a'i sgert ben-glin yn cau am ei phennau gliniau.

'Sgin ti dân, Wil?' meddai wrtha i.

'Sut oedda chdi'n gwybod f'enw i?' meddwn i gan danio'r leitar iddi.

'Doeddwn i ddim,' meddai gan dynnu ar ei sigarét. 'Mae o'n enw cyffredin, tydi.'

'Welis i mona chdi'n y Gegin Ore wedyn?' meddwn i.

''Nôl i'r job iawn fory,' meddai.

'Gwesty Llyn Efyrnwy wyt ti rŵan?' meddai Alun.

'Mae fan'ny'n cael pump yn y llyfr bwyd da,' meddai Gwyn. Mesur pob dim o hyd ei fol ac eto'n dena fel styllan. Licio sbio ar ei fwyd fydd o'n hytrach na'i fyta fo?

Nodiodd hi'n gynnil at Gwyn ond troi at Alun. 'Ddrwg gin i glywed am dy daid, Alun Plas,' meddai.

'Diolch, Delyth Ann,' meddai Alun.

'Mi rydach chi o'ch tri i gyd i weld yn nabod eich gilydd,' meddwn i reit swta. 'Dim siawns o gyflwyniad na dim, decini?'

'Ti'n nabod digon yn barod,' meddai Gwyn Bont.

'Be gymri di, Delyth Ann?' meddwn i.

'Fodca,' meddai.

'Hefo be?' meddwn innau.

'Ar ei ben ei hun,' meddai.

99

Estynnais wydraid y llo Llŷn iddi. 'Un fodca ar ei ben ei hun,' meddwn i.

'Pwy wyt ti, felly?' meddai Delyth Ann. 'Paul McKenna?'

'Paul Daniels,' meddai Gwyn Bont.

'Wil Chips,' meddwn i ac estyn fy llaw iddi. 'Stopiwch bigo arna i, wnewch chi'r taclau?'

'Diolch, Wil Chips,' meddai Delyth Ann. 'Os na dyna ydi dy enw di.'

'Be oedda chdi'n da'n y Gegin Ore os ti'n gweithio mewn gwesty?' meddwn i. 'Fan'no gwelis i chdi.'

'O leia mi wnest ti dynnu dy sbectol haul i siarad hefo fi,' meddai hi. 'Sylwis i fod gin ti ronyn o gwrteisi.' Cymrodd lymad o'i fodca. 'Mi wnes i wirfoddoli i weithio'r shifft fora i godi pres at rywbath hefo'r Eisteddfod.'

'Be ti'n neud fory?' holais.

'Fydda i 'nôl tu ôl y stôf yn Llyn Efyrnwy,' meddai. 'Yn trio plesio beirniaid bwyd sy'n methu coginio.'

'Yn y busnes arlwyo mae 'nheulu innau 'di bod, 'sti,' meddwn i.

'Rywle'n y Gogledd, ie?' meddai Delyth Ann.

'Roedd ei nain o'n cadw siop djips nes iddi roi'r saim ar dân,' meddai Gwyn Bont.

'Arna i beint ichdi,' meddwn i wrth y cwtrin. Y munud hwnnw dyma'r ffôn bach yn gwichian hefo negas destun gin Now John a Gwil i ddeud eu bod nhw ar fin cyrraedd.

'Pam na ddoi di hefo ni i weld Jarman?' meddwn i wrth Delyth Ann.

'Achos maen nhw wedi gwerthu allan,' meddai Gwyn yn gymwynasgar.

'Gin i dri tocyn,' meddwn i. 'Mi ga i unrhyw bedwar i le tri hefo tri tocyn.'

Roedd Huw Penmachno newydd straffaglu'n ôl hefo'i rownd, wedi bod wrthi ers chwartar awr yn bustachu i gael ei syrfio. Blasai'r cwrw'n dda y noson honno.

Landiodd Now John a Gwil y munud hwnnw. Isio mynd syth drwadd i'r gìg ar ôl rhoi pres i fi am y tocynnau. Finna'n dal gafael ar docynnau pawb a'u chwifio'n amlwg a'u dangos yn bump union, ond dim ond pedwar tocyn rois i yn llaw Prys ar y giât. Doedd y grŵp ddim wedi dechrau ac roedd 'na ddigon o le wrth y bar. Ges i stamp ar gefn fy llaw a mynd allan hefo'r tocyn sbâr i Delyth oedd yn aros y tu allan i'r ffens.

'Mwy o le i droi,' meddai gan lymeitian ei fodca. Ar hynny dyma Jarman yn cychwyn. 'Dwi'n mynd i ddawnsio,' meddai Delyth a rhoi clec i'w diod.

'A finna,' meddwn i. Codais fy llaw ar hogan y stondin nicyrs oedd yn dawnsio'n y tu blaen hefo'r awdur annealladwy. Roedd hi'n babell braf hefo glaswellt ar lawr. Roeddwn i wedi clywed am y gìg yn Tito's ddaru gychwyn pob dim go iawn. Roeddwn i wedi clywad rhai'n deud y flwyddyn honno nad oedd neb yn deilwng o'r Gadair am awdl i'r ddinas ac *Ac yna clywodd sŵn y môr* yn ennill gwobr yn yr Eisteddfod. Dwi'n gallu clywed sŵn y dorf yn Tito's yn solet fel y graig. Dwi'n gallu gweld derwyddon yn eu gwisgoedd mewn bws yn gwibio draw, rhai'n gwenu, rhai'n cynganeddu am y gwynt a'r glaw, rhai'n canu am eu cyswllt â'r ieuenctid ffôl. A dwi'n siŵr mai honno oedd y Steddfod Roc a Rôl wreiddiol. Liciwn i fod wedi bod mewn rhagor. Gollis i ormod o Steddfodau. Heno mae Jarman yn chwip ar lwyfan ym Meifod. Dro ar ôl tro yn newydd sbon gerbron pob cynulleidfa. Roedd y geiriau yna'n barod ar fy nghof wrth iddo ganu.

'Dyma ni ar ein gwylia, does neb a ŵyr ymhle. Mae gynnon ni y crysau-T, ac mae gynnon ni'r PA. Mae pawb yn sbio ac yn gwrando, mae pawb yn brolio lot. Mae mor hawdd bod yn arwr, felly be 'di'r ots? Wel, dyma ni yn y gofod. Mae pawb 'di drysu'n lân. Does dim sbwnc yn y pwnc, does dim angerdd yn y gân. O mae'r gofid yn brasgamu, mae rhywbeth mawr o'i le, gweld yr arwyr arwynebol, a nhw sy'n gwybod be 'di be.'

Ar sodlau'r gân gynta daeth yr ail. 'Mae'r byd yn ddoniol yn barod ond mae'n hyfryd cael bod fan hyn gyda thi. Sôn am hunanlywodraeth, sgin ti'm statws nawr. Poeni am y pethau bach o hyd. Neb yn deilwng i'th garu tro hyn, neb i ti'i goroni. Neb yn deilwng a phawb yn syn. Dere 'mlaen, de' m'aen, saf ar dy draed.'

Roeddan ni'n mynd o'n coeau o'i flaen o ac yn gweiddi am fwy cyn iddo fo orffan y gân gyntaf. Faint o feirdd fedri di gyfri'n rhan o dy fagwraeth? Heblaw'r rheini yn y llyfr glas ysgol yna dwi'n feddwl?

'Gwesty Cymru does neb yn talu, er bod pawb yn prynu yng Ngwesty Cymru ac mae pawb yn iawn, maen nhw'n byw'n gyfforddus ac yn nofio yn y pwll. Maen nhw'n gwisgo'n deidi i swpera yn y nos. Gwesty Cymru does neb yn talu, er bod pawb yn prynu. Ac mae pawb yn iawn, mae'r holl boblogaeth yn bargeinio am eu lle.

'Ac mi gwelais hi yn mynd i'w stafell hefo rhywun diarth, rwy'n ei charu hi.'

Roeddwn i'n neidio'n wirion ar hyd y lle, wedi sodro fy siacad o dan ryw gadair. ''Dan ni mynd i drio "Ambiwlans",' meddai'r canwr wedyn.

'Rwy'n byw mewn stad o dai, mae'r adeiladau'n cloi fel breichled am y bae. Wele'r gŵr yn gloff a'r nos ar bigau'r drain. Croesi'r ffordd cyn hir, mi fydd o ar y blaen. O, o, Ambiwlans. Pawb yn ceisio gofyn beth yw sefyllfa'r ffin; bod mewn ystafell unig a chyllell heb ddim min. Mae'r ystlum eto'n crio, mae'n sugno gwaed y bardd; mae'n hedfan dros y toeau, mae'n gorwedd yn yr ardd.'

Rhywbeth newydd ddaeth i'r fro, gweld y wlad yn mynd o'i cho. Roeddwn i'n nabod y rocyrs hefo'r gwalltiau cwrlog oedd yn ddyfodol Gwalia ryw awr.

Roeddwn i'n aros am sgip ar dân. Un adag fyddwn i'n clywad 'mor freintiedig yw cael caru yn Gymraeg' yn y geiriau ond wedyn dois i ddallt mai 'Mae'r breintiedig yn cael caru yn Gymraeg' ydyn nhw i fod. Mi fasa'r ddau'n gweithio.

'Roedd Atgof fel Angor yng ngwên y llew a sŵn gwenoliaid yn dilyn dŵr.'

'Fi a chdi a'r coli yn y dracsiwt gwyrdd.' Pam fod y ci isio tracsiwt?

Fel hyn buon ni'n neidio am hydoedd. Roeddwn i'n meddwl am yr holl gynganeddwyr hefo'u cadeiriau ac yn meddwl am arweinydd y cynganeddwyr a nhwythau wedi sbarduno bandiau fel Catatonia a Super Furry Animals yn fwy na neb. Pam na cheith hwn ddim cadair, neu wisg wen o'r peth lleiaf? Mae o'n well na'r blydi lot o'r lleill.

Roeddwn i'n siarad hefo fi fy hun, achos roedd hi'n rhy swnllyd i ddal pen rheswm hefo neb arall. Lle cynt roeddan ni'n cael cylchdroi'n rhydd roedd tyrfa'n gwasgu. Roedd cyrraedd y tu blaen fel trio cael peint yn Pesda Roc. Es i allan am bisiad.

Roeddwn i'n clywed Jarman yn canu, 'Cerdded lawr y stryd liw nos a rwy'n meddwl am dy wyneb. Glaw yn disgyn ar fy mhen yn cymysgu gyda'r dagrau.' Ond roedd yn rhaid imi gael pisiad.

Pan ddois i 'nôl welis i Gwyn Bont ac Alun Plas. 'Pam 'dach chi ddim yn dawnsio?' gofynnis i iddyn nhw.

'Achos 'dan ni ddim mor wirion â chdi,' meddai Gwyn Bont. 'Neidio fel mwnci fel'na. Peint o chwerw yr un gymrith Alun a finna.'

'Iawn,' meddwn i. 'Lle'r aeth Penmachno?'

'Wedi mynd hefo rhyw lodes o Sir Gaernarfon oedd isio mynd 'nôl i Maes B,' meddai Alun.

'Does yna ddim Sir Gaernarfon rŵan, Alun,' meddwn i. Es i godi'r peintiau a fodca i Delyth Ann.

'Oedda chdi'n gwybod mai o Ynysoedd Heledd yn yr Alban y cafwyd canu ysbrydol bobol dduon yr Unol Daleithiau?' meddai Gwyn gan godi'r peint ffres at ei wefusau.

'Nag oeddwn a dwi ddim isio,' meddwn innau.

'Sut hynny?' meddai Alun.

Dyna'r unig sbardun oedd Gwyn angan i fwrw'i fol. Rhaid ichdi ddeud wrtho fo i gau'i geg pan fydd o'n dechra malu cachu. Fel arall eith o iddi go iawn. Fydda i'n meddwl ei fod o'n defnyddio straeon fel clytiau i gau tyllau yn rhywle. 'Ddyla bod chdi ddim wedi gofyn hynna,' meddwn i wrth Alun.

'Pam?' meddai Alun.

'Wel,' meddai Gwyn, 'rhyw foi o Brifysgol Iâl yn honni bod canu pobol dduon America'n tarddu o Gaeleg yr Alban yn hytrach nag o Affrica.'

'A ti'n ei goelio fo?' meddwn i. 'Pryd nei di sylweddoli fod gan yr Americanwyr ddim synnwyr cymesuradd? Tasa rhywun o Brifysgol ym Mericia'n deud wrtha chdi fod mwncwn yn gallu gwneud pwdin reis, fasat ti'n ei goelio fo?'

'Mae'r ddamcaniaeth yn ddiddorol,' meddai Gwyn.

'Pa un?' meddai Alun. 'Yr un am y canu ynteu am y mwncwn?'

'Y peth ydi, roedd caethweision yr Albanwyr yn uniaith Gaeleg yn Ne Carolina yn y ddeunawfed ganrif, a dichon iddyn nhw ddysgu caneuon eu meistri hefyd. Pan aeth y boi yma o'r Brifysgol i'r Alban, i'r fro Aeleg, hynny ydi cwpwl o ynysoedd, mi glywodd salmau Gaeleg oedd yn rhannu'r un anian.'

'Ia,' meddai Alun, 'ond tydi bod dau beth yn debyg ddim yn golygu eu bod nhw'n tarddu o'r un lle.'

'Cariwch chi 'mlaen i drafod,' meddwn i. 'Mae gin i amgenach pethau i'w gwneud.' Ac mi es â 'mheint yn ôl i'r lle dawnsio hefo'r fodca ar ei ben ei hun i Delyth Ann.

Daethon ni ddim o'na tan nes i Tich Gwilym ganu'r anthem genedlaethol.

Roedd yna brifeirdd rif y gwlith yn y bar wedyn, i gyd wedi dod yno i ddathlu cadeirio'r prifardd. Roedd yna wleidyddion amlwg oedd yn amlwg heb fod yn hiliol. A llenorion amlwg yn amlwg heb fod yn llenorion. Tangnefeddwyr yn bygwth ei gilydd a therfysgwyr yn trio'u tawelu. Hoelion wyth y sefydliad yn sleifio o'r lle chwech a'u llygaid yn sgleinio fel llus ac yn honni fod y nefoedd ar y ddaear heno ym Meifod. A Dei Congol y Wal yn sbio'n hyll arna i o'r gornal.

Es i draw ato fo.

'Be ti'n da yma?' meddai gan estyn sgwd imi yn fy mraich dde. 'Bradwr uffarn.'

'Be ydi dy broblam di?' meddwn i wrtho fo.

'Sgwadi naff uffarn,' meddai.

Daeth Delyth Ann draw atom ni a dweud wrtha i am adael llonydd iddo fo. 'Cer adra, washi,' meddai wrth Congol y Wal.

'Ti'm ffit i fagu plant,' meddai Congol y Wal wrtha i.

'Ti 'di gneud hi rŵan,' meddwn i gan deimlo fy ngwynab yn oeri. Codais fy mhen-glin rhwng ei goesa a rhoid slap iddo fo'n ei arlais hefo fy mhenelin fel oedd o'n plygu ata i. Llithrodd yn ddiymadfarth i'r llechi gwlyb. Camodd Delyth Ann a finnau drosto fo at y bar. I rywun oedd isio sylwi roedd o'n edrych fel dyn chwil wedi syrthio ar lawr yn barod i chwydu dros bob man ac mi gafodd ei daflud allan.

'Roedd o'n gofyn amdani,' meddwn i wrth Delyth Ann. 'Sori os oedd o'n edrach yn ddrwg.' Doeddwn i ddim yn teimlo'n falch iawn 'mod i wedi'i lorio fo. Roeddwn i fod i drio rheoli fy nhempar. Pan maen nhw'n dy ddysgu di sut i ladd dyn hefo dau fys maen nhw'n egluro na fedri di mo'i ddad-ddysgu.

Aeth Delyth a finnau i ista wrth fwrdd bach trwm i siarad nes oedd y bar yn agor eto. Dim ond isio i'r dorf tu allan hel eu traed. Wrth edrych arni mi sylwn i ar y rhwydi ysgafn o linellau'n dirwyn o gonglau'i llgadau a chonglau'i gwefusau. Roedd hi'n hŷn nag oeddwn i wedi ama i ddechra; tua'r un oed â finna neu ychydig yn hŷn.

Sôn am ffeministiaeth oedd hi, hithau ddim yn benboeth ddim mwy. Ond erbyn hyn roedd pawb yn dy alw di'n ffasgydd am fod yn ffeministaidd, meddai. Ac eto, doedd dim wedi newid o ran hawliau merchad. 'Be oedd geiriau'r gân heno?' holodd. ' "Geto hefo colur dyna lle 'dan ni ferchad ar hyn o bryd." '

'Mae 'mhlant inna mewn geto uniaith Saesneg,' meddwn i.

Cymrodd lymad o'i fodca ac ailgroesi'i choesau hirion. 'Ond dwi ddim yn casáu dynion,' meddai. 'Dwi wedi dysgu cyfaddawdu. 'Mae pawb yn goro cyffwrdd rhywun yn y pen draw. Fyddi di'n gwrando ar Steve Eaves? Am gariad mae pawb yn chwilio yn y pen draw, ond dim ond rhyw sy'n cael ei brynu a'i werthu ar y farchnad.'

'Dwi'n gwybod,' meddwn i. 'Fedri di 'i gael o ar y maes dyddiau yma hyd yn oed.'

'Paid â malu nhw,' meddai. 'Fedri di ddim prynu rhyw ar y maes? Tro dwytha roeddan nhw'n pendroni ynglŷn â chael bar.'

'Nacia,' meddwn i. 'Fedri di gael cariad ar y maes. Mae stondin Pishyn yn medru chwilio am gariad ichdi.'

'O,' meddai, braidd yn siomedig. 'Wel, dwi ddim yn meddwl y baswn i'n trafferthu. Dwi ddim ar frys i gael perthynas arall, diolch.'

Rhoes ryw grynodab o'i chefndir imi. Doedd gen i ddim dewis ond gwrando. Faint gymris i i mewn dwi ddim yn siŵr. Mewn un diwrnod weithiau mi gei di lot o falu cachu.

Fel pob lodes yn ei harddegau roedd hi unwaith wedi ceisio ei darbwyllo'i hun fod cicio yn erbyn y tresi yn rhyw fath o ymgyrch yn erbyn gormes. Nid radicaliaeth oedd ei hawydd i fod yn wahanol yr adag honno.

Hyd yn oed a hithau'n cael cynnig mynd ar ei mis mêl i rywle egsotig mi wrthododd fynd i nunlle felly am y byddai'n rhy ffasiynol. Roedd Jerome, y boi oedd hi'n ei briodi, isio'r Caribî neu Big Sur yng Nghaliffornia.

Roedd o wedi dangos y llyfryn iddi, a phob llofft yn y gwesty fel rhandy cyfa, a throbwll poeth ym mhob un a feranda a ballu.

A hithau wedi gwrthod o ran egwyddor. Isio mynd i Fwlgaria neu Wsbecistân oedd hi, llefydd heb eu heffeithio gan dwristiaeth dorfol.

Doedd ei darpar ŵr ddim yn rhy hapus am hyn. Doedd o ddim yn gweld dim rhamant mewn trip o gylch ffatri tractors.

Roedd hi'n meddwl y dylsai fod o'n falch ei fod o'n priodi rhywun oedd yn driw i'w hegwyddorion. Gwaetha'r modd, roedd hi'n ymddangos ei fod o'n flin i'w freuddwydion o gael ei dafod rhwng ei chluniau mewn jacwsi dwbwl yng Nghaliffornia gael eu dryllio'n sitrwds mân.

Erbyn hyn roedd hi'n falch ei fod o wedi rhoi'r ffidil yn y to a dychwelyd i Milton Keynes i ddyfeisio hysbysebion i bethau nad oedd neb isio'u prynu. Dechreuais feddwl y dylai'r dyn yma gwrdd â Gwyn. Y naill isio prynu a'r llall isio gwerthu, ond nid y naill i'r llall.

Roedd Delyth Ann yn dal i siarad am betha merchad ac yn sôn os bysa hi wedi landio'n Big Sur hefo'r Sais fyddai hi rŵan yn byw mewn bocs dinesig a'i dau o blant mewn ysgol breswyl. A hithau yn ei hoed a'i hamser erbyn hyn roedd hi'n sylweddoli mai chwiw bersonol oedd y tu ôl i'w phenderfyniad. Un bengalad fuodd hi erioed. Doedd hi ddim angen cynnal delwedd neilltuol achos roedd hi'n gwybod pwy oedd hi yn ei chalon.

Edrychodd arna i ac ychwanegu: 'Dwi ddim yn gaeth i'r weledigaeth sy'n mynd â chdi i bartïon hefo pobol ti ddim yn eu licio.'

'Lot o bartïon yn Sir Drefaldwyn, oes?' meddwn i.

'Mi fasat ti'n synnu,' meddai. 'Mae yma ddigon o fywyd go iawn chadal bywyd y ddinas.'

'Ond ti ddim isio perthynas hefo neb, medda chdi,' meddwn i.

'Nac'dw,' meddai. 'Gwranda, tri mis mae'n gymryd i mi wybod a ydi perthynas yn gweithio. Ond tydio ddim yn cymryd tri mis i sylweddoli fod dynion i gyd yr un fath a dim ond dau beth maen nhw isio – rhyw a meistrolaeth – y ddau am ddim os gwelwch yn dda.'

'Dwi ddim felly,' meddwn i. Ystyriais ac ychwanegu, 'Wel, yndw, mi rydw i felly, ond mae 'na bethau eraill dwi isio hefyd. Fel cael fy mhlant yn ôl. Fel cael rhywbeth i gau'r drysau y tu cefn imi.'

'Ti'n disgwyl i betha ddigwydd i chdi,' meddai Delyth. 'Dwi ddim yn disgwyl i ddim byd ddigwydd nad ydw i wedi'i greu o'n hun.'

'Yn y fyddin fydd meddwl yn greadigol ddim yn cael ei gymeradwyo,' meddwn i. 'Ond pan fydd y dasg yn amlwg fydda i ddim yn ildio nes ei goresgyn.'

'Gwneud pethau drosof fy hun fydda i,' meddai Delyth. 'Dwi 'di arfar gweithio i greu rhywbeth. Faswn i'n licio dangos i'r byd ffasiwn le hardd ydi Dyffryn Meifod. Tasa gin ti dŷ bwyta Sioraidd ar un o'r cefnau hefo llofftydd eang a thanau coed. Ond mi faswn i isio'i wneud o imi fy hun, nid i rywun arall. Magu teulu Cymraeg yng nghefn gwlad Cymru. Ydi hynny'n ormod i'w ddisgwyl fel hawl sylfaenol? Sut fedrwn ni a'r prisiau'n nadu inni groesi trothwy'r gwerthwyr eiddo?'

'Weithiau chei di ddim mo'r petha wyt ti isio i gyd hefo'i gilydd,' meddwn i. Roeddwn i'n sylweddoli nad oeddwn i ddim yn dallt llawar ar ei sgwrs hi ond roeddwn innau'n coelio mewn Cymreictod er imi listio yn y fyddin. Roedd y bar wedi hen ailagor.

Codais rownd arall. Pan eisteddais yn ôl wrth ei hochor hi roedd hi'n syllu i'r ffenest a honno'n ddrych melyn o'r bar poblog. Welwn i ddim byd anghyffredin.

'Alun oedd fy nghariad cynta fi'n yr ysgol,' meddai. 'Mi wnes i grio pan ddeudodd o wrtha i ei fod o'n hoyw. Roedd o'n dda iawn am egluro wrtha i, ddaru o ddim awgrymu mod i'n hoples a dyna ddaru droi o fwy na dim byd felly.

Dim ond un deg pump oed oeddan ni, er mwyn dyn. Roedd o wedi dod i sylweddoli'n ara deg, medda fo, nad oedd yna ddim dyfodol i'n perthynas.

'Pwy ydi hi?' meddwn i gan feddwl ei fod o 'di cael cariad arall.

'Mi eglurodd y sefyllfa. Rydan ni'n dal yn ffrindie. Ond dim ond sws wynt sydd rhyngom ni erbyn hyn.'

'Mae'n siŵr eu bod nhw'n dal reit hen ffasiwn am betha felly ffor' hyn,' meddwn i a drachtio o'r peint newydd.

'Toedd o'n un swil am bethau felly,' meddai Delyth. 'Ac erbyn hyn hen lanc ydio am byth i bawb. Sbio drwy'r ysbienddrych ar y sêr ydi'i betha fo a darllan barddoniaeth. Unigrwydd sy'n ei yrru o o'ma yn fwy na dim byd arall, ichdi.'

'Dwi'n cofio fy nghariad cynta,' meddwn i. 'Roeddwn inna'n un deg pump oed. Dwi ddim yn meddwl inni gyflawni llawar.'

Tynnodd Delyth ddracht o'i sigarét. 'Dwi'n cofio un hefo tatŵ o lygoden yn cnoi penglog ar ochor du mewn ei glun chwith,' meddai. 'Roedd o'n canu mewn grŵp pync ac yn licio rhoi pìn ddwbwl drwy'i drwyn. Mewn sgwat oeddan ni a fyntau allan ohoni ar smac. Y tro dwytha imi weld o roedd o'n chwydu ar y gynulleidfa mewn clwb nos yn Swydd Efrog. Dwn i ddim oeddwn i'n gweld y lob yn rhyw fath o ddrych imi fy ngweld fy hun yn well na fo ynddo fo.'

Roedd Delyth yn dechra siarad iaith na allwn i mo'i dilyn. Roedd hi'n dechrau sôn am y llais sy'n galw arni hi adre at yr hon mae hi isio bod. Yr unig beth oedd y llais isio'i ddeud wrthi, meddai, oedd derbyn yr hapusrwydd oedd yn cael ei gynnig bob gafael hefo breichiau agorad.

'Dweud "ia" yn lle "na",' meddai Delyth. ' "Na" oeddwn

i wedi bod yn ei ddweud tan hynny. Mewn parti ryw dro wedyn daeth Jerome ata i a gofyn oeddwn i'n dod o Gymru.'

'Sut oedd o'n gwybod?' holais.

'Wedi gofyn i rywun, mae'n siŵr,' meddai. 'Cyn bo hir roeddwn i mewn cylch o bobol oedd yn siarad am yr hawl i hela a'r traffig yn Llundain.'

'Fuest ti'n agos at briodi Jerome?' holais, gan obeithio ei fod o'n gwestiwn perthnasol.

'Naddo,' meddai. 'Roedd o'n ormod o goc oen.'

Eglurodd ei bod 'nôl ym Maldwyn ers tair blynadd ac wrth ei bodd yma. Roedd hi wedi dilyn cwrs arlwyo'n y coleg gan fwrw'i phrentisiaeth lle roedd hi rŵan. Ar ôl sbel yn y Goeden Cnau Ffrengig hefo Franco Tarluschio cafodd ei derbyn fel cogydd yng Nghaffi'r Afon yn Llundain. Dyna lle buodd hi nes iddi landio swydd prif gogydd Gwesty Llyn Efyrnwy. Ond isio agor ei lle ei hun oedd hi yn y pen draw.

'Dwi isio cynnig bwyd fydd y beirniaid yn ei alw'n "hollol berffaith". Dwi isio cynnig rac oen hefo crystyn perlysiau ar artisiôc a ffa brau. Dwi isio cynnig twrbot Sir Fôn mewn menyn hefo lemwn a bara lawr.'

'Dwi isio bwyd,' meddwn i. Doedd yna ddim byd ond cnau ar werth tu ôl i'r bar. Gas gin i gnau. 'Dwinna wedi bod allan o Gymru am yn hir,' meddwn i. 'Dwi'n ôl ers dau fis ond heb y plant fedra i ddim bod yn hapus.'

'Pam na fasat ti'n mynd ar eu hola nhw?' meddai.

'Tydw i ddim haws,' meddwn i. 'Cha i mo'u gweld nhw. A dwi ddim isio byw yng Nglasgow.'

'Pam wnest ti briodi, a chdithau'n gwybod na fasa'r peth ddim yn gweithio?'

'Falaraki,' meddwn i. 'Roedd hi'n feichiog, ninnau'n ifanc, pwysau o du'r fyddin. Dwn i'm.'

'A pam ti'n meddwl fod gin ti fwy o hawl i'r plant na'r fam yn yr Alban?' meddai. Tynnodd sigarét o'i bag a'i thanio. 'Ynteu wyt ti'n meddwl dy fod ti'n wahanol i ddynion eraill?' Roedd ei gwefusau'n annog atab, ond cyn imi'i gynhyrchu daeth Gwyn ac Alun atom ni a dweud eu bod nhw'n ei chychwyn hi am adra ar ôl y rownd nesa. Wnes i ddim holi pa adra oeddan nhw'n ei feddwl. Daeth Alun â pheint i mi a fodca i Delyth Ann. Welodd Gwyn rhyw brifardd arall ac aeth o ato fo.

Dwi'n cofio pobol eraill yn pasio heibio'n bwrdd ni, rai ohonyn nhw'n deud su'mai a ballu. Roeddwn i'n siarad hefo Delyth Ann am fy mhlant i.

'Dwi ddim yn meddwl fod gin i fwy o hawl,' meddwn i. 'Dwi ddim yn meddwl 'mod i'n wahanol. Ond isio bod hefo fi mae'r plant, dyna ydi'r peth. Nid ar ben bloc fflatiau ynghanol dinas maen nhw i fod ond yma hefo fi yng Nghymru.'

'Tydi Cymru ddim yn nefoedd,' meddai Delyth Ann.

'Na Benllach,' meddwn innau. 'Ond mae hi'n well na lot o wledydd. Dwi 'di bod mewn llefydd fasa'n gwneud Cymru'n baradwys.'

'Isio ymffrostio wyt ti, fedra i ddweud,' meddai. 'Be oedd y peth perycla wnest ti erioed?'

Ond fedra i ddim siarad am y rhyfal neu fydda i'n methu stopio. 'Yn Alasga,' meddwn i. 'Ar ymarferion ar Foel Hess ym mynyddoedd Hayes.' Roeddwn i'n cofio'r achlysur fel tasa fo ddoe. 'Doeddwn i ddim yn cael fy hela gan ddyn yr adag honno, ond gan arth grisli – a honno am fy ngwaed.

'Roeddwn i 'di dallt fod yna hannar can mil o eirth grisli yn Alasga. Aeth pethau o chwith ddechrau'r ail ddiwrnod. Roeddwn i'n croesi'r rhewlif hefo Dewi Benllach a fynta'n taeru'n ddu las fod isio mynd i'r chwith. Ddaru ni wahanu i archwilio'r ceunant. Gwelais olion pawennau arth yn yr eira. Rhai ffres heb eu llenwi gan y plu'n disgyn o'r cymylau.'

'Pam na fasat ti wedi troi'n ôl?' meddai Delyth.

'Mi wnes i,' meddwn i. 'Ond erbyn imi ddringo o'r ceunant roedd Dewi wedi hen fynd. A dyma 'na sgrech dros bob man a finnau'n gweld rywbeth du yn powlio'n syth tuag ataf. Lluchiais fy morthwyl eira i'w wynab o. Dim ond cenau bach oedd o, dim ond at fy mhennau gliniau oedd o'n dŵad. Sgrechiodd yn uchel uchel am yn hir hir cyn cropian i ffwrdd a'i waed yn stribedi ar yr eira ar ei ôl. Roedd lladd creadur diniwed felly'n beth ofnadwy; fedrwn i ddim maddau i fi'n hun.'

'Hwyrach ei fod o wedi mendio,' meddai Delyth.

'Ta waeth, mi wyddwn na fydda'i fam o ddim yn bell y tu ôl iddo fo a dyma finnau'n rhedag o'na ac ymhen ychydig oriau roeddwn i wedi dringo i ben cefn uchel lle gallwn i wersylla dros nos. A chlywad sŵn rhuo a sgrechian o'r cwm, sŵn y fam yn cael hyd i gorff ei chenau dwi'n siŵr. Roedd y goedwig yn atsain fel petai hi'n rhedeg yn wyllt drwyddi. Finnau'n diolch nad oeddwn i lawr yn y goedwig heno.'

'Oedd gin ti ddim ffôn symudol?' meddai Delyth.

'Na gwn na radio chwaith,' meddwn i. 'Goroesi oedd y gamp i fod. Cael a chael fuodd hi. Ddau ddiwrnod yn ddiweddarach roeddwn i wrthi'n halio fy mhac cefn i fyny'r rhaff i ben rhaeadr o rew newydd imi'i dringo pan glywais y rhaff yn bachu'n sownd o'm hôl. Welwn i fawr drwy'r niwl, felly abselio i lawr oedd yr unig ddewis. Dwn i'm be wnaeth imi stopio dair metr o'r gwaelod. Oedd yn dda imi wneud achos yr arth oedd wedi bachu'r pac. Roedd hi'n edrych arna i a chasineb lond ei llygaid. Roedd ganddi graith fawr ar draws ei gwynab. Safodd ar ei thraed a rhedeg tuag ataf. Aeth un o'i chrafangau i wadan fy mwtsias dde a'm tynnu oddi wrth y wal. Daeth y grafanc allan a finnau'n glewt yn erbyn y rhew.'

'Oedda chdi'n dal yn sownd yn y rhaff?' meddai Delyth.

'Oeddwn siŵr iawn,' meddwn i. 'Ac mi lwyddais i ddenig yn ôl i ben y clogwyn hefo'r pac cefn, a'i chychwyn hi am Foel Hess lle gobeithiwn y gallwn groesi'r copa i gadw draw oddi wrth yr arth. Ond pan gyrhaeddais y copa doedd yna dim ffordd ymlaen. Dau ddewis oedd gen i, aros lle'r oeddwn i neu fynd yn ôl i lawr. Gallwn i weld yr arth yn dilyn olion fy nhraed. Penderfynais groesi'r rhewlif a dychwelyd yr ochr arall i'r llyn ond be welais i ond yr arth yn nofio'r llyn tuag ataf. Dringais nerth fy mreichiau a'm coesau i ben rhyw greigiau i'w hosgoi ond drannoeth y bore, a finnau'n dal i ddringo i lawr y rhewlif, mi gwelais hi fel smotyn du yn y pellter. Roedd hi'n carlamu tuag ataf. Roedd hi ar fy ngwarthaf. Neidiais i hollt yn y rhew.

'Aeth un o'r clymau ar fy rhaffau'n sownd. Ceisiodd yr arth fy nilyn i'r hollt ond roedd hi'n rhy gul. Dechreuodd bawennu a chnoi'r rhaff a'i thorri'n rhydd fel fy mod innau'n disgyn ymhellach i'r hollt. Mae'n rhaid fy mod i wedi cysgu yno. Pan ddeffrais taniais y stôf nwy er mwyn dadmer eira i gael diod.

'A finna'n yfad o'r badell be welis i ond yr arth yn straffaglu tuag ataf o'r ochor arall. Roedd glafoerion gwyrdd ar hyd ei gweflau a golwg orffwyll yn ei llygaid. Mi geisiais ei tharo hefo'r fwyell rew ond roedd ei blew hi'n rhy dew iddi gael dim effaith.

'Cydiais yn y stôf nwy a'i lluchio ati nes i'w blew gynnau'n wenfflam dros ran ucha'i chorff a'i phen. Y fath sgrechian ni chlywsoch yn eich byw. Llwyddais i ddringo allan a'i heglu hi i ryw fath o bant lle'r oedd tŵr o rew yn codi yn y canol. Roeddwn i'n meddwl efallai y gallwn i ddenu'r arth ar draws y rhewlif ac y byddai'n syrthio i un o'r holltau cudd yn y rhew. Daeth yr arth yn ara deg a'i blew yn dal i fudlosgi. Roedd hi'n estyn am fy nghoesau a finnau'n ceisio'i tharo hefo'r fwyell rew. Doeddwn i ddim yn disgwyl dŵad oddi yno'n fyw.

'Ond wrth i'r arth geisio cyrraedd ataf eto mi syrthiodd y tŵr rhew drosodd ar ei phen gan fy ngadael heb anaf ar ben y rwbel.

'Dwi ddim yn cofio am faint o ddiwrnodau bues i wrthi'n ffoi oddi wrth yr arth, dros wythnos beth bynnag. Cafodd yr arth ei gwasgu i farwolaeth dan y rhew, ond er ei fod o'n beth rhyfadd i'w ddweud doedd gen i ddim isio'i brifo hi. Y noson honno llwyddais i gyrraedd y gwersyll lle'r oedd fy mhartner newydd gyrraedd yn ôl tua dwy awr o'm blaen i.'

'Ac wyt ti isio imi goelio hyn'na i gyd?' holodd Delyth. 'Ti jest fath â'r dynion eraill 'na i gyd, blydi congrineros. Ac eto taswn i'n gofyn ichdi dorri'r lawnt neu smwddio'r dillad mi fasa gen ti fil o esgusodion.'

'Union felly oedd hi,' meddwn i. 'Roeddwn i ofn drwy 'nhin yr holl amsar a ddim yn meddwl y baswn i'n goroesi. Dwi wedi cael profiad mewn rhyfal arfog. Ond cael fy hela gan yr arth oedd y peth gwaetha.'

'I be oedda chdi isio mynd i'r fyddin yn y lle cynta?' meddai Delyth Ann.

'Diffyg dewis arall,' meddwn i. 'Cau'r Atomfa; chwareli'n tynnu atyn; sac o'r ffatri blastig. Roeddwn i fwy neu lai'n ddigartra oni bai 'mod i'n ffeindio lle, a'r Albanas yn disgwyl. Doedd y llechi na'r plastig ddim yn talu'r rhent. Gweld y fyddin fel dihangfa.

'Roedd yna hogia'r un oed â fi'r adag honno'n mynd i'r Cafalri Cymraeg. Doedd yna uffarn o ddim byd Cymraeg amdano fo. Ond bod yna hogia Cymraeg yn aelodau. Dim ond wedyn nes i ddallt 'mod i wedi ymaelodi hefo'r criw anghywir.

'Taswn i wedi dewis y Ffiwsilwyr Cymreig faswn i ddim wedi goro cynnig llwncdestun o deyrngarwch i'r goron heblaw ar ddydd Gŵyl Ddewi.

'Priodi wedyn er mwyn cael tŷ byddin yng Nghatraeth. Byddwn i'n gweld yr haul yn taro'r gwydr weithiau ac yn clywad sŵn graean y llwybr tu allan yn sgrwnsio dan fy nhraed ac yn cymryd arnaf fy mod i'n hapus.'

'Ond newydd wahanu ydach chi?' meddai Delyth.

'Ryw flwyddyn neu ddwy fuon ni hefo'n gilydd,' meddwn i. 'Welon ni rioed lygad yn llygad. Ond ia, dim ond newydd fy ngadael i mae hi, a mynd â'r plant. Ond dwi wedi cael blynyddoedd ohoni'n llusgo'i hun o gwmpas y tŷ a'i phen mewn tŵal yng nghanol y pnawn. Byddwn i'n trio bod yn glên hefo hi, weithiau'n trio'i chusanu, ond mi rois y gorau iddi. Hithau'n glaf bob amser, fedra i ddim meddwl am yr holl resymau. Byddwn i'n golchi fy ngheg ac yn agor y ffenestri ar ôl bod yn yr un stafall â hi.'

'Mae natur yn beth creulon,' meddai Delyth. 'Weithiau mi gymrith harddwch a'i anffurfio jest o ran hwyl.'

'Dim ond y plant oedd yn ein cadw hefo'n gilydd,' meddwn i. 'Ond un noson ar y ffordd adra o'r dafarn mi drois a gweld y tu cefn imi res o oleuadau stryd yn dirwyn y tu cefn imi'n bell a meddwl fy mod i'n ôl ym Manod. Roeddwn i wedi sylweddoli yr adag honno nad oedd y lle oeddwn i'n ei nabod yn bod dim mwy.

'Mi faswn i wedi gallu cael tŷ iddi hi a'r plant yn Stiniog

tasa hi wedi gwrando. Ac yn diwadd lle'r aeth hi â nhw? I ddegfad llawr bloc o fflatiau yn y Gorbals. Hysbys y dengys y dyn . . . Dwi'n synhwyro gwynebau bach Siôn a Bethan yn sbio allan ar y ddinas.'

'Mae cartref ffraegar yn andwyol i blant,' meddai Delyth. 'Rhaid i chditha dderbyn bai mawr am hynny.'

'Wn i,' meddwn i.

'Dwi ddim yn meddwl fod y fyddin wedi bod o les ichdi,' meddai. 'Mae hi wedi dy neud di'n dreisgar. I be oedd isio ichdi lorio'r crinc yna gynne?'

'Roeddwn i wedi cael llond bol arno fo,' meddwn i.

'Oedd o am dy ladd di, oedd o?'

'Nagoedd.'

'Dyna pam est ti i'r fyddin 'ta?' Roedd hi'n sbio'n reit biwis arna i. 'Er mwyn ichdi gael lladd pobol ddiniwed?'

'Toedd gen i ddim job, nagoedd? Dwi'n cyfadda mai camgymeriad oedd meddwl y baswn i'n gallu magu teulu Cymraeg yn y fyddin. Mae'n siŵr tydio'm ots gin rhan fwyaf am iaith eu plant, ond mae'n bwysig i mi.'

'Tasa gin i blant, mi faswn i'n siarad Cymraeg hefo nhw,' meddai Delyth. 'Pwy fedrai siarad iaith arall hefo babi bach diniwad?'

Ar hynny dyma aelod o'r Cynulliad drwy'r bar a'i falog yn agored. Sylwais fod yr hogyn o Langwnadl yn dal wrthi'n trio cael fodca gan daeru'i fod o wedi cael ei benblwydd ers hannar nos. Daeth Gwyn ac Alun drwodd o'r bar arall a dweud eu bod nhw'n ei chychwyn hi am adra ac aethom ninnau am y drws hefo nhw.

PENNOD SAITH

Roedd hi'n noson fwyn a thawel. Dywedodd Alun ei fod o'n iawn i ddreifio. Dwn i ddim oedd o neu beidio; wnes i ddim holi, dim ond neidio i mewn.

'Tydyn nhw ddim yn mynd i stopio landrofar Dolabram heno,' meddai gan roi cip tua'r fynwant gyferbyn. Roedd goleuadau'r stryd yn nofio o flaen fy llygaid. Doedd yna ddim cops ar y lôn yn ôl i Fathrafal. Aethon ni i'r maes carafannau i weld be oedd y crac. Pwy welson ni yn ymyl Sbâr ond Huw Penmachno'n chwydu mewn sgip.

'Ffor' hyn, hogia,' meddai wrth sychu conglau'i weflau yn ei lawas. Aethon ni hefo fo i ryw garafán lle'r oedd yna barti adlen. Dywedodd fod ei fodan o wedi'i adael o ym Maes B ar ôl iddo fo dalu iddi fynd i mewn. Fel'na weli di hefo Huw Penmachno.

'Croeso i'r Adlen Orau,' meddai Hywal Dimbach o'r gornal wrth inni fynd i mewn. Wrthi'n tynnu corcyn o botal oedd o ac mi hwrjodd lasiad yr un arnom ni mewn gwydrau plastig. Roedd yna olwg lled orffwyll ar ei lygaid.

'Hwda, Wil Chips,' meddai. 'A diolch am y farddoniaeth heddiw.'

'Wyt ti'n licio gwaith Ioan Brothen?' holais.

'Ydi Swpyr Ted a Smotyn yn ffrindia?' holodd Hywal.

'Hen linell bell nad yw'n bod, hen bŵer yma'n barod,' meddai Gwyn Bont. Eisteddodd wrth fy ochor i a'i ben o'n troi, nelo'r llgada croes oedd yn ei ben o. Gwyn ap Llwyd, chadal fynta, a'i ben moel a'i siwmper lwyd a'i lewys wedi'u torchi a'i lygaid main a'i wynab gwelw.

Fel hyn fydd o'n dal ei ben weithiau, ar osgo, hefo'i fys a'i fawd yn anwesu'i ên a'i law arall dan ei gesail. Dal i wisgo fel hogyn ifanc er ei fod o'r un oed â finnau. Mae o'n cael parch yn y Steddfod am fod gynno fo 'lais newydd cyfoes' o ran y ddrama yng Nghymru, meddai rhyw adolygiad. Ar waetha'r cyhoeddusrwydd, ychydig ŵyr neb am y dyn go iawn. Mi fasach chi'n ei basio fo ar y stryd heb sbio'n ôl. Mae'i siwmper o'n dyllau byw fel tasa llygod 'di'i chnoi hi. Mi fasach chi'n taeru fod yna ddaeargi wedi bod ynglŷn â'i sgidiau. Mae golwg y diawl ar ei lygaid o. Fo sydd isio sbectol haul, ddim fi.

Fydd pobol yn deud ei fod o'n berson caeedig i raddau. Weithiau fydd pob dim o'i le. Dro arall mae'r haul yn twnnu ynghanol y glaw. Weithiau fydd o'n meddwl ei fod o wedi cael llond bol. Weithiau fydd o'n dweud 'pawb â'i fys lle bo'i ddolur'. Fydd o'n siarad yn ddi-baid am bethau amherthnasol; fydd o ddim yn trafod y pethau pob dydd sy'n dangos pwy wyt ti, fel gwiwer yn dangos lle mae'i chnau. Fydd o byth yn llonydd, fydd o'n symud ac yn gwingo bob gafael.

Weithiau fydd o'n neidio i'w draed ac yn gweiddi pethau fel, 'Dwi angen gweld yr haul!'

Pur anamal fydd neb yn cymryd sylw ohono fo. Tydan ni i gyd yn gwybod ei fod o'n wallgo bost. Hwn sy'n gallu taro drama neu nofel ar e-bost i'w gyhoeddwr bob yn ail flwyddyn heb rwystr. 'Paid â sôn amdana i fel arloeswr, meddai unwaith mewn cynhadledd i'r wasg yn dilyn ei lwyddiant hefo Llyfr y Flwyddyn. 'Sgen i fawr o syniad am be dwi'n sôn. Ond mae'n dda gen i wybod fod yna bobol sy'n dal yn fodlon trio ffindio allan.'

Tydi Gwyn rioed wedi cuddio dim byd o ran ei rywioldab. Tydi o rioed wedi trafod y peth chwaith.

Mi ddeudodd fod yna gylchgrawn isio'i holi o am y peth ond ei fod o wedi gwrthod.

'Pam felly?' meddwn i. 'Sgin ti gwilydd o rywbath?'

'Nag oes,' meddai. 'A pham ddylwn i ddeud unrhyw beth am hynny dim ond i gael fy nghamddyfynnu yn Nail y Post?'

Dwn i ddim ai am ein bod wedi colli nabod ar ein gilydd ers yr holl flynyddoedd mae hi'n haws siarad hefo fo heno. Ond mi rydan ni'n nabod ein gilydd ers bora oes ac mi neith o drafod petha hefo fi neith o ddim siarad amdanyn nhw hefo pobol eraill. Mae o'n meddwl nad ydw i ddim yn dallt petha felly. Hyd yn oed yn ei laslencyndod dwi'n cofio fo'n dweud wrtha i fod o'n edrych o'r tu allan i mewn ar y byd a'i betha. A dyma fo'n deud, 'Ti'm yn gwbod be mae hynna'n feddwl, yn nagwyt, Chips?'

'Nac'dw,' meddwn inna. 'Wyt ti am ei phasio hi 'ta be?'

Daeth â'i ben yn nes at fy nghlust a sibrwd: 'Fydda i'n deffro'n bora weithiau, ac yn meddwl fod genna i'r job orau'n y byd.'

'Be, gwerthu hysbysebion?' meddwn i. 'Wyddwn i ddim fod marchnata'n beth mor gyffrous.'

'Ddim hynna,' medda fo, 'y gwaith sgwennu yma, nid y gwaith bob dydd.'

'Mi fasa'n wych tasa rhywun yn ei ddarllan o,' meddwn innau. Mi driais go iawn hefo un o'i lyfra fo ond roedd o jest fel mae o'n siarad yn llawn o ffeithiau astrus ac yn annealladwy i neb i'r de o Fron Abar.

'Faint sy'n cael y cyfla i roi geiriau ar glawr?' meddai wedyn. ''Dan ni'n lwcus yng Nghymru. Toes yna fawr o wledydd fasa'n caniatáu i sothach fel hyn gael ei gyhoeddi. Ond dwi'n cael malu cachu'n ddilyffethair heb i neb fy nghosbi.'

'Be ddeudodd dy rieni pan ddeudist ti wrthyn nhw dy fod ti'n hoyw?' meddwn i i roi stop ar ei falu cachu fo.

'Ddaru nhw'i dderbyn o fel rhan ohona i,' meddai. 'Doeddwn i'm yn rhoi lle i neb boeni am y peth drosta i.'

'Wyt ti'n sengl ar hyn o bryd?' meddwn i.

'Yndw, pam?' meddai a rhoi winc arna i. 'Chwilio am ddêt wyt ti?'

'Ia,' meddwn i. 'Ond ddim hefo chdi. Hefo hogan y Gegin Ore liciwn i fod ora. Tydwi'n ei ffansïo hi'n rhacs ers ben bora. Mae'n siŵr ei bod hi'n rhy soffistigedig i hogyn sgwâr fel llechan fel fi.'

'Newid lle hefo fi, gei di ofyn iddi,' meddai Gwyn. Fo oedd isio mynd i siarad hefo Alun Plas. Roedd hwnnw'n edrach yn reit giami a'i ben fel pen ffesant ar ei ysgwydd.

'Mae o ar fin chwydu,' meddwn i, gan godi a gwneud lle iddo fo basio.

'Ti'n iawn, Delyth?' meddwn i wrth landio'n daclus yn ei hymyl.

'Sgin ti dân, Wil Chips?' meddai. O leia mi roedd hi'n cofio fy enw i.

Roedd Gwyn yn amneidio arnom ni i ddŵad hefo fo. Cael traffarth hefo Alun dwi'm yn ama. Roedd o'n trio'i ddadebru o trwy daro'i ben o hefo llwy. Huw Penmachno wedi rhoi rhyw gachu o win rhad iddo fo neu rywbath. Mi sodrais ysgwydd dan ei gesail ac mi wnaeth Gwyn Bont yr un fath.

Pan sylweddolodd Alun Plas ei fod o'n cael ei hebrwng o'na mi sadiodd ei goesau am funud a gweiddi bod croeso i bawb ddod i Ddolabram. Cydiodd Gwyn a finnau dan ei geseiliau a'i lusgo fo allan. Tynnodd Hywal Dimbach a Delyth Ann y beics o gefn y landrofar ac i ffwrdd â ni, hefo

Alun wedi'i sodro rhwng dau feic a finnau'n gafael yn ei draed o.

Pan ddaethon ni at y bont aethon ni â fo i lawr at yr afon a throchi'i ben o yn y lli. Mi ddoth at ei goed yn o lew wedyn. Dechra deud na fan'ma dysgodd o i nofio, a gofyn i Delyth Ann oedd hi'n cofio bod yma unwaith a'r lleuad fel roedd o heno. Tynnodd Delyth Ann amdani a phlymio i'r dŵr. Nofiodd ar draws y pwll a'r cylchoedd yn bwrw cysgod y lleuad drosti.

'Hei, Gwyn,' meddwn gan sbio i fyny a'r lleuad lond fy llygaid, 'mae Alun yma'n sgut am nabod y sêr hefyd. Mae gynno fo sbienddrych.'

'Barod am y seithfed ar hugain?' meddai Gwyn.

'Gobeithio am noson glir,' meddai Alun.

'Seithfed ar hugain o be?' meddwn i.

'Y Blaned Goch,' meddai Delyth Ann.

'Dyma'r agosa fydd y blaned Mawrth atom ni ers bron i chwe deg mil o flynyddoedd,' meddai Gwyn Bont. 'Yr adeg honno roedd dynion yn gwisgo crwyn ac yn gwneud arfau allan o gerrig.'

'Diawl o ddim wedi newid, felly,' meddai Delyth Ann.

'Mae yna lawar wedi bod isio trafaelio trwy amser,' meddai Gwyn.

'Paid â deud na fedri di ddim,' meddwn i. 'Dwi'n siomedig.'

'Wel,' meddai Gwyn Bont, 'ar lefel fathemategol mi fasa hi'n bosib i ronynnau unigol deithio o'r presennol i'r gorffennol ond ar lefel ymarferol, nac'dan.' Pesychodd i'w lawas. 'Yn y presennol mae pob eiliad o'n hoes yn cael ei threulio.'

Roedd Gwyn Bont wedi ei weindio. Roedd yn rhaid inni

ollwng ei sbring o rywsut. Ond doedd yna ddim byd yn amlwg. Roedd o'n dal i siarad am archaeoleg.

'Hwnnw roith y syniad gorau inni o sut oedd hi'r adag honno,' meddai gydag arddeliad.

'Tydan ni ddim isio gwybod,' meddwn i.

'Oedd dynion yr un mor siofenistaidd?' meddai Delyth Ann gan rwbio'i gwallt i'w sychu.

'Plîs paid â gofyn dim byd arall iddo fo neu fyddwn ni yma am byth,' meddwn i wrthi.

'Cro-magnoniaid oeddan nhw,' meddai Gwyn. 'Nid dynolryw gwahanol i ni fel y Neanderthaliaid ond cyndeidiau *Homo sapiens,* ein cyndeidiau ni.'

'Be am y cyn-neiniau?' meddai Delyth. 'Hebddyn nhw fasa'r un ohonoch chi yma.'

'Ti'n iawn,' meddai Gwyn. 'Nhw oedd yn cynnal y llwyth a dynion yn ei amddiffyn o. Heblaw pan oedd dim angan amddiffyn y llwyth aeth y dynion yn ddiog a rhoi'r gwaith calad i gyd i'r merchaid.'

'Wyddwn i ddim dy fod ti'n ffeministiwr,' meddai Delyth.

'Yn fy amsar sbâr,' meddai Gwyn. 'Ond mi roedd ein cyndeidiau a'n cyn-neiniau ni'n cyd-fyw hefo'r Neanderthaliaid, fel dwy rywogaeth ar wahân, am filoedd o flynyddoedd. Chwe deg mil o flynyddoedd yn ôl dim ond Neanderthaliaid oedd ffordd hyn. Yn Sbaen yn ddiweddar gawson nhw hyd i ffosilau esgyrn plentyn oedd hanner ffordd rhwng y ddwy rywogaeth. Ac eto does gan neb byw bedyddiol heddiw ronyn o DNA Neanderthal yn eu cyrff. Pwy a ŵyr nad oeddan nhw fel ceffyl a mul yn creu asyn diffrwyth.'

'Mae yna rai ar ôl o hyd dwi'n siŵr,' meddai Hywal

Dimbach. 'Roedd Huw Penmachno'n deud ei fod o wedi gweld rhai yng Nglan Conwy.'

'Ddaru'r Neanderthaliaid ddim goroesi,' meddai Gwyn. 'Nid am eu bod nhw'n wan: mi fasa'n dy godi di uwch ei ben hefo un llaw. Nid am eu bod nhw'n dwp: roedd eu hymennydd ychydig yn fwy na be sgynnon ni. Nid am fod gynnyn nhw ddim diwylliant: mewn ogof yn Slofenia'n ddiweddar mi gafwyd hyd i'r offeryn cerddorol hynaf yn y byd, wedi'i wneud gan Neanderthaliaid bedwar deg pum mil o flynyddoedd yn ôl.'

'Ddarllenis i am hynna'n papur wythnos dwytha,' meddwn i. Roeddwn i'n dechra cyffio. Roedd Delyth Ann wedi hen wisgo amdani ac yn barod i gychwyn.

'Darn pum modfedd o asgwrn coes arth ifanc oedd o hefo pedwar twll yn un rhes ar ei hyd,' meddai Gwyn. 'Ac yn Bebara gawson nhw hyd i sgerbwd cyfa, ar ei gefn, ei fraich dde wedi'i phlygu dros ei frest a'i law chwith ar ei stumog yn unol â threfn gladdu ffurfiol.'

Roedd Gwyn Bont yn dechrau dyrnu arni a'i lygaid yn wenfflam wrth ail-fyw cyffro'r cyn-oesoedd. I bawb arall, dim ond matar o weitsiad iddo fo ddŵad o'i berlewyg oedd o.

'Mi ddaru ni a nhwythau gyd-fyw am bum deg mil o flynyddoedd,' meddai dan ollwng glafoerion hirion. 'Ond does yna ddim ohonyn nhw ar ôl rŵan felly mae'n deg awgrymu mai ni ddaru achosi iddyn nhw ddiflannu, fel rydan ni wedi ei wneud ym mhob man ac ym mhob oes yn hanas y ddynoliaeth. Tasmania, Armenia, Iwerddon, yr Alban, Cosofo, Bosnia, Rwanda, Cambodia, Llydaw, Cymru, Cernyw – lle bynnag ewch chi mae 'na lefydd felly. Fel yr ydan ni'n ei wneud yn Tsietsienia ac Irac ac yn Nhibet a Chubut a Brasil a Chorsydd Basra. Os oeddan nhw'n gallu canu roeddan nhw'n gallu siarad iaith ac yn ddwyieithog hefo acan ryfadd weithiau.' Pwyntiodd Gwyn Bont ei fys atom yn gyhuddgar.

''Dan ni ar erchwyn ein daear yn eu gwylio nhw'n prynu ein tir oddi tanom. 'Dan ni ar erchwyn ffynnon a'i chysgod yn las ac yn oer drosom.

'"Dyma lle mae'r golau'n mynd ar ei bennau gliniau ac yn sbio hefo un llygad i mewn i'r twll yn y boncyff. Yno mae byd arall o greaduriaid yn cysgu.

'"Pwy sy 'na?" meddai'r penteulu.

'"Ni," meddai'r dynion sy'n gosod cyffion am eu garddyrnau.

'"Rhowch gyfla inni hel ryw betha," meddai'r penteulu.

'"Fyddwch chi mo'u hangen nhw," meddai un o'r dynion. Dros y rhosydd mae chwiban y gylfinir yn cyrraedd atyn nhw fel angor i'w hatgoffa nhw. Cafodd y dynion rawiau a chyfarwyddyd lle i balu.'

Roedd pawb wedi dechrau oeri ac Alun wedi dŵad at ei goed.

'Ffwr â ni, 'ta,' meddwn i. Roedd y lleuad yn llachar uwchben y cefn a'r coed pin fel dannadd lli yn erbyn y goleuni.

Wedi gwthio'r decllath yn ôl i fyny'r llwybr soeglyd i'r lôn, aethon ni am Blas Dolabram. Heibio'r arwydd du dros y cloddiau. Roedd yna gudynnau o darth yn hel i lawr o'r bryniau, ond dim byd arall yn symud. Roedd curiad cyson Maes B yn cilio'n y pelldar. Dim byd i'w glywad, dim ci'n cyfarth, dim byd yn brefu.

Edrychodd Gwyn Bont uwch ei ben. 'Mae yna tua chan mil miliwn seren yn ein galaeth ni,' meddai ac estyn ei freichiau i gwmpasu'r bydysawd. 'Y Llwybr Llaethog.

Siawns fod yna un arall hefo planed yn ei chylchu fasa'n addas i gynnal bywyd.'

'Glywis i sôn amdanyn nhw ar Radio Cymru,' meddwn i.

'Mi gymrith ugain mlynadd arall,' meddai Gwyn. 'Ond erbyn hynny mi gawn ni dystiolaeth bendant o fywyd ar blanedau eraill. Ond chawn ni ddim gwybod am sbel hir wedyn sut fywyd fydd o. Mae'r pellteroedd yn rhy fawr i'w croesi heblaw gan fathematag a chyfrifiaduron enfawr yn chwalu data am ugain mlynadd ar ei hyd eto.'

Diolch byth, roeddan ni newydd gyrraedd y buarth ac oglau dail y cloddiau'n gollwng i oglau tail sych y buarth. Buarth gwag a distaw wedi'i sgwrio o bob dim ond cysgodion a sŵn traed. Drws ochor yn gwichian a gola'n taro ar draws y drws. Roedd yna olau tu mewn a gwresogydd i dorri'r ias.

'Be 'dach chi'n yfed?' holodd a chamu tu ôl y bar.

'Fodca,' meddai Delyth Ann.

'Sansêr,' meddai Hywal Dimbach.

'Cwrw,' meddwn innau.

'Dŵr chroyw,' meddai Gwyn Bont yn treiglo dros ben llestri. 'Dŵr oer. Digon ohono fo.'

Munud nesa pwy ddaeth i mewn ond Huw Penmachno a Congol y Wal a dwy o genod o'r maes pebyll. 'Fan hyn mae'r parti?' meddai Huw. 'Welis i un neu ddau o rai eraill wrth basio Maes B; maen nhw ar eu ffordd i fyny.'

'Sgwadi uffarn,' meddai Congol y Wal gan bwyntio'i fys ata i ond heb ddŵad o fewn hyd braich.

Roedd gan Alun ganhwyllau yng nghilfachau'r waliau ac aeth ati i'w goleuo nhw i gyd nes oedd y lle'n pefrio.

'Pa un ohonach chi sy'n sgut ar y gitâr?' meddai Gwyn gan bwyntio at yr offeryn ar y llwyfan. Chafwyd dim gwirfoddolwyr, felly nes i decstio Banjo i ddŵad draw hefo'i gitâr a gaddo lysh am ddim drwy nos iddo fo'n lle. Awgrymodd Gwyn y dylen ni decstio pobol erill er mwyn cael criw go lew.

'Gewch chi weld rhyfadd ydi tynfa cynnig amheuthun,' meddai.

Fesul dipyn roedd y lle'n llenwi a phob bwrdd yn llawn o fewn dim. Dwn i ddim lle uffarn oedd Banjo.

'Gwrandwch, y taclau,' meddwn innau o'r llwyfan, 'ydach chi'n ddigon sgut i yfad ei gwrw fo; pwy 'dach chi'n feddwl sy'n talu amdano fo? 'Dan ni am wneud casgliad i dalu am y lysh a'r holl adloniant.'

'Pa ffrigin adloniant?' meddai Prys o'r cefn.

'Tyd ymlaen hefo dy limrigau i'n cychwyn ni,' meddai Gwyn ac mi ddoth hefyd a chael pawb i biso chwerthin. Es i ato fo wedyn a chyfadda 'mod i wedi sleifio Delyth i mewn am ddim i'r cyngerdd gynnau.

'Rhag dy gwilydd a chditha'n gwisgo crys Dal dy Dir,' meddai.

'Weithia mae torri rheola'n beth da,' meddwn i. 'Doedd yna ddim tocynnau ar ôl. Be oedd isio imi wneud?'

'Siarad hefo ni,' meddai. 'Trwy siarad mae'r Cymry wedi cytuno petha erioed, nid trwy hunanoldab.'

Mi dalod pawb yn o lew, ac mi rois i'r pres i Alun a deud wrtho fo am beidio'u colli nhw.

Allan â fi i'r awyr iach wedyn hefo Now John a Gwil i gael smôc. Pan ddois i'n ôl o'n i'n teimlo'n well a'r cysgodion wedi codi o'r corneli. Welis i Delyth Ann wrthi fel lladd nadroedd yn dangos i Alun sut i sortio'r diodydd. Punt y peint amdano fo, gin Delyth. Dim lol. Fel cyfraniad.

Roedd Banjo a'i fand wedi cyrraedd ond wedi anghofio

sut i ganu. Mi gofiodd ar ôl cael diod a dechra dyrnu arni'n o hegar o ben y llwyfan. Ar lawr y sgubor cwbwl welwn i oedd breichiau a choesau a phennau pobol chwil yn dawnsio. Roedd digon o feirdd yn bresennol i gynnal Cystadleuaeth Cynganeddu'r Byd. Dyna gynhaliwyd.

'Tydan ni ddim yn mynd i gwaliffeio hefo dim byd arall,' meddai Gwyn. 'Waeth inni guro pawb ar y gynghanadd ddim.'

Cododd prifardd petrus ei law. Nodiodd Gwyn ato. ''Dan ni'n arfar cael y tasgau ymlaen llaw gan Gerallt,' meddai'n gysetlyd.

'Ti'm yn fardd da iawn,' meddai Gwyn Bont. 'Fydd bardd da iawn ddim angan amsar i feddwl, dim ond bwrw iddi'n syth bìn. Aros tan y noson cyn y perfformiad fyddai Giacomo Rosini.'

'Cyfansoddi agorawd operatig oedd o, nid barddoniaeth,' meddai Alun. 'Mae geiriau'n cymryd mwy o amsar na cherddoriaeth.'

'O mam bach, un arall,' meddwn i'n swta. 'Paid â deud dy fod titha wrthi'n sgwennu petha hefyd?'

'Byddaf, weithiau,' meddai Alun. 'Nid i'w cyhoeddi, wrth gwrs.'

'Biti na fasa Gwyn yma'r un mor wylaidd,' meddwn i.

'Roeddan nhw'n werth eu darllan,' meddai Alun.

'Dwn i'm,' meddai Gwyn. 'Ddarllenist ti nhw, do?'

'Dwi'n cofio darllan amdano fo'n cyfansoddi agorawd *Le Comte Ory* a'i draed yn y dŵr wrthi'n pysgota hefo rhyw gyfaill,' meddai Alun. 'Mi ddylach chi fedru taro i lawr y pethau sy'n digwydd ar y pryd yn ogystal â myfyrio'n hirddwys ar y cyflwr dynol.'

'Ti'n well na fo weithiau,' meddwn i wrtho fo.

'Wyddost ti ddim byd amdani,' meddai. 'Be gymri di?'

'Unrhyw beth ti'n ei gynnig, Alun,' meddwn i. 'Diolch am y croeso. Mae'n ddrwg gin i dy fod ti'n gwerthu'r lle.'

'Pam?' meddai Alun. 'Fuest ti ddim yma cyn heddiw.'

'Dim ond am dy fod ti a'r lle 'ma i'ch gweld yn perthyn i'ch gilydd. Fysa hi'n braf mynd o'ma a gwybod fod pethau'n aros fel maen nhw weithiau.'

'Pam?' meddai Alun eto. 'Tydi'r lle yma'n ddim byd i chdi.'

'Yndi,' meddwn i. 'Pam bod pob rhan o Gymru'n llosgi 'nghroen i? Mae'r geto uniaith fel inc du dros ein hiaith ni. Dwi wedi cael fy nhalu am ladd pobol. Mae 'mhlant i yn y ffrigin Alban. Ac mae Mathrafal yn rhan ohona i heno.'

'Dolabram,' meddai Alun. 'Dwi wedi bod yma'n rhy hir. Mae gynna i grudcymalau yn fy ngwythiennau fi. Mae'r rhosod melyn o gwmpas y drws yn codi pwys arna i ond fedra i mo'u torri nhw.'

Estynnodd wydrad o wisgi bob un inni.

'Iechyd,' meddwn i a tharo gwydrau hefo fo. 'Sgin ti ddiddordeba erill 'blaw ffarmio, barddoniaeth a sêr?'

'Dim llawar,' meddai Alun. 'Fydda i'n licio darllen. Felly bydda i'n ei gael orau i adael trafaelion y byd y tu ôl imi weithie.'

'Fedri di ddim gadael y lle yma,' meddwn i. Roedd y sgubor dan ei sang a llond y lle o bobl yn yfad cwrw a gwin. Roeddwn i'n gweld eto'r neuaddau erstalwm ac yn rhyfeddu at y golau oedd i'w gael o ganhwyllau.

'Medraf,' meddai Alun. 'Dwi 'di cyrraedd pen fy nhennyn.'

'I ble'r ei di o le fel hyn?'

'Gwyn yn sôn bod Caerdydd yn lle difyr.'

'Wrth gwrs,' meddwn inna. 'Ond yno mae o am nad oes yna ddim byd iddo fo i'w gynnal o 'nghefn gwlad.'

'Yn y fyddin fuest ti 'de?' meddai Alun.

'Dwi dal yn Gymro,' meddwn i.

'Ti'm yn llysieuwr, debyg?' meddai.

'Oes yna sowldiwrs llysieuol?' meddwn i.

'Wyt ti'n heddychwr?' holodd.

'Wyt ti?' meddwn i.

'Faswn i ddim yn cario arfau,' meddai Alun.

'Be am eu saethu nhw 'ta?' holais.

'Na faswn,' meddai.

'Fedra innau mo'i wneud o eto chwaith,' meddwn inna.

Aeth Alun Plas draw i siarad hefo Gwyn. Aethon nhw i eistedd wrth un o'r byrddau i wrando ar Banjo'n canu. Es innau i helpu Delyth hefo'r bar.

'Ti'm yn blino?' gofynnais iddi.

'Faswn i'n blino llai taswn i'n cael help,' meddai hi. 'Mae'n amlwg nad wyt ti a'r hogyn Gwyn yna ddim yn blino llawar.'

'Wyt ti wedi clywad sôn am Ioan Brothen?' meddwn i. 'Pam ddiawl mae Alun isio gwerthu'r lle 'ma go iawn, dŵad?'

'Unig ydi'r cradur,' meddai Delyth. 'Toes yma ddim cymdeithas o'r un anian â fo. Geith o fwy o gwmpeini tua Chaerdydd.'

'Mae gynno fo gwmpeini heno,' meddwn i. Roedd yna ddigon o waith syrfio wrth y bar. Daeth yr hogyn o Langwnadl a gofyn am fodca. 'Dwi'n ddeunaw heno,' meddai.

'Hwda,' meddwn i. 'Oes yna ddim fodca yn Llangwnadl?'

'Diawl o beryg,' meddai. 'Faint?'

'Dim byd, washi,' meddwn i. 'Ti 'di talu'n barod.'

Nodiodd ei ben a throi oddi wrthyf.

Gafaelodd Delyth yn fy ysgwydd a'm troi i gyfeiriad Gwyn ac Alun wrth eu bwrdd bach draw yn ochor y wal. 'Am be mae'r ddau yma'n traethu mor daer?' holodd.

'Be wn i,' meddwn innau. 'Y malu cachu arferol. Tyd, awn ni i wrando arnyn nhw.'

'Paid,' meddai Delyth ond mi es i ac ista tu cefn iddyn nhw heb iddyn nhw sylwi. I be, dwn i ddim, ond oeddwn i isio gwybod sut oedd dau oedd yn dallt ei gilydd yn trafod pethau felly.

'Mae sgwennu nofel yn waith hir a diflas,' meddai Gwyn wrth Alun fel petai o'n rhannu cyfrinach. 'Yn enwedig os nad oes gen ti ddiddordeb yn dy stori. Os ydi'r stori'n *crap* ei di i nunlla. Ond hyd yn oed hefo stori, os ydi'r stori'n rhy gwta a chdithau'n stwffio pethau amherthnasol i mewn o hyd mi ei di i'r ffos. Paid â chynnwys neb ti'n nabod. Ond cofia'r un peth hanfodol: rhyw. Gei di getawê wedyn hefo unrhyw rwtsh. Tasa oes Daniel Owen heb fod mor gul does wybod be fasa poblogaeth Cymru.'

'Doedd Kate Robaits ddim yn cynnwys llawar o foncio'n ei storïau,' meddai Alun. 'Ond wedyn doedd o ddim yn beth mawr yn ei bywyd hi chwaith, nagoedd?'

'Doedd neb yn cael babis yr adag honno,' meddai Gwyn. 'Dim ond eu harchebu nhw o gatalog a chael eu danfon ar y goets fawr.'

'Fel prynu ar *Amazon dot com* a chael eu danfon hefo Ffedecs?' meddai Alun.

'Y gwahaniaeth oedd,' meddai Gwyn ar ei draws, 'eu bod nhw'n gaeth i bapur ac inc yr adag honno ac angan taro'u geiriau i lawr wedi eu ffurfio'n berffaith ar y cynnig cyntaf. Fel croesi'r rhaff uchal mewn syrcas ar y cynnig cynta. Gora po fwya o amsar gei di.'

'Cadw dy eiriau'n fyr rhag ofn na chei di'm amsar i orffan,' meddai Alun.

'Adnabod y rhai sydd ynddi,' meddai Gwyn. 'Gweld eu pryd a'u gwedd a'u hamgylchiadau, gwybod eu gwreiddiau a'u holl synhwyrau a'u dyheadau. Wedyn sôn amdanyn nhw.'

'Dwi wedi darllan dy waith di,' meddai Alun.

'Dwi'm yn sgwennu am fy mod i isio i neb ei ddarllan o,' meddai Gwyn. 'Dim ond weithiau dwi'n teimlo bod yn rhaid imi ddeud rhywbath. Ond wedyn mae'r syniadau'n diflannu a thridiau wedyn ti'n goro ailgychwyn am fod y cof wedi colli'r weledigaeth.'

Yn ddistaw bach penderfynais fy mod i wedi clywad hen ddigon ac es heb lawar o sŵn a heb iddyn nhw sylwi yn ôl at Delyth Ann a dweud wrthi fod eu sgwrs nhw'n anhygoel o ddiflas.

'Paid â bod yn gas am Alun,' meddai Delyth Ann. Ffordd roedd hi'n siarad mi faswn i'n taeru fod ganddi le yn ei chalon o hyd i Alun Plas ar waetha'r sws wynt ac ati a dyma fi'n dweud wrthi:

'Oes, mae gen i le mawr yn fy nghalon i'r hogyn,' meddai Delyth Ann yn guchlyd. 'Be 'di'r ots i mi am ei rywioldeb? Rhywbeth hollol amherthnasol i'r rhan fwyaf o bobol heddiw. 'Dan ni'n ffrindia o'r ysgol gynradd. Dwi'm yn dallt pam ei fod o'n gadael fan'ma am Gaerdydd. Neu'n hytrach mi rydw i, achos mi wn i mai methu dygymod hefo'i orffennol y mae o, hefyd. Mae'i hen nain o dan garreg ym mynwent Meifod hefo'i phump o blant.'

'Tri yn 1878 a dwy yn 1889?' meddwn innau. 'Dwi 'di darllan y garrag fedd. Wnes i ddim sylwi fod Dolabram arni.'

'Ddaru'i gŵr hi gael tynnu enw'r Plas,' meddai Delyth. 'Roedd o wedi ailbriodi a chael mab, hen daid Alun. Ond roedd lleisiau'r plant yn galw arno fo yn ei glustiau. Cafodd gyngor gan ddyn hysbys i grafu enw'r Plas oddi ar y garreg.

'Ddaru'r mab farw'n ifanc, yr un oed â'r hynaf o'r chwiorydd, gan adael gwraig weddw a mab dyflwydd oed, taid Alun.'

'Roedd o'n agos i gant oed yn marw felly,' meddwn i. Dim ond maths oeddwn i'n ei ddallt yn yr ysgol.

'Mi briododd a chael un mab,' meddai Delyth. 'Tad Alun oedd hwnnw, fuodd farw pan oedd Alun yn ddwy oed a cholli'i fam pan oedd o'n bump a hannar. Gin ei nain o gafodd o'i fagu ar ôl hynny.'

'Doedd yna ddim byd ar y garreg yn dweud be ddigwyddodd,' meddwn innau.

'Dwn i ddim byd am yr hanes,' meddai Delyth Ann. 'Glywis i fod y tri farwodd wedi cael y dwymyn ac wedi marw yr un diwrnod. Bu farw'r fam o dor calon ymhen rhai blynyddoedd a'r ddwy chwaer hynaf wedi methu yn sgil ei gilydd. Mae yna ryw anlwc yn rhedeg yn y teulu.'

'O leia mae yna deulu ar ôl,' meddwn i.

'Tydan ni i gyd ryw ffordd,' meddai Delyth.

'Dwi'n perthyn i blydi chwalfa,' meddwn i.

'Waeth inni heb â chodi pais,' meddai Delyth. 'Be am ddawnsio cyn i'r boi Banjo yna syrthio wysg ei ochor?'

Roedd o'n canu am gariad a gollwyd a Delyth a finnau'n gafael dwylo. Dim ond dau neu dri o rai eraill oedd wrthi'n siglo'n ara deg o flaen y llwyfan.

Roeddan ni'n closio at ein gilydd a hithau'n troi'i phen ataf ac agor ei gwefusau. Roedd ei haroglau'n pereiddio drwof ac yn fy nghodi ar flaenau fy nhraed. Gwasgais hi'n agos ataf a drachtio'i phersawr i'm hysgyfaint. Rhois fy ngên ar ei hysgwydd hi a'i hanwesu. 'Paid, mae'n goglais,' meddai dan chwerthin.

Edrychais i weld oedd Gwyn Bont ac Alun yn sbio arnom ond doedd yna neb yn ista wrth eu bwrdd nhw rŵan.

PENNOD WYTH

Pan syrthiodd Banjo wysg ei ochr oddi ar y llwyfan i'r llawr aeth Delyth a finnau ar draws y buarth a gadael y straglars yn y sgubor heb boeni dim amdanyn nhw. Dim ond un neu ddwy o'r sêr oedd yn dal i befrio yn yr awyr lwydlas. Tua'r pump oedd yr haul yn codi'r adag yma o'r flwyddyn am wn i. Doedd hi ddim yn hynny eto.

Roedd golau melyn yn llifo o'r drws ffrynt a'r rhosod yn diferu petalau ar y palmant.

Wrth fwrdd y gegin a glasiad o win bob un ganddyn nhw oedd Alun Plas a Gwyn Bont.

'Glasiad o Sansêr?' cynigiodd Alun.

'Bendant,' meddwn i. 'Hwn ydi'r un ges i o Sbâr Steddfod?'

'Mae o'n un go lew,' meddai Alun. 'Ges i beth echdoe.'

'Ddim cystal â hon,' meddai Gwyn Bont gan estyn potelad o'r Sansêr arall gawson ni gan Hywal amsar cinio. 'Hywal Dimbach wedi gneud cyfraniad bach at yr achos.'

Sgwn i a ddaru Hywal Dimbach roi'r gwin yna i Gwyn Bont, ynta Gwyn Bont ddaru ddwyn y gwin gin Hywal Dimbach?

'Digon i'r diwrnod ei ddrwg ei hun,' meddai Gwyn. 'Rydan ni wedi bod wrthi'n pacio llyfrau.'

'Dyma ichdi un atyn nhw am ddim,' meddwn i a thynnu *Llinell neu Ddwy* o'm pocad a'i daro ar y bwrdd.

'Llyfrau arlunwyr ydi'r rhan fwya,' meddai Gwyn gan sythu'r llyfryn brown a dad-blygu'r plygiadau. 'Be oedd

135

enw'r arlunydd o Awstralia ddangosist ti ei lluniau imi?' meddai Gwyn.

'Emily Kngwarreye,' meddai Alun. 'Un o beintwyr mawr y byd, gafodd ei geni tua 1910 yn Alhalkere yn ymyl Soakage Bore i'r gogledd-ddwyrain o Alice Springs.

'Oedda chdi'n ei nabod hi?' holais.

'Nago'n, siŵr,' meddai Alun. 'Wedi darllan ei hanas hi. Naw oed oedd hi pan welodd hi ddyn gwyn am y tro cyntaf, plismon ar gefn ceffyl yn arwain carcharor o'i llwyth a hwnnw mewn cadwyni. Doedd gynni hi ddim gair o Saesneg. Hi oedd yn cadw rhai o gylchoedd canu'r llwyth ar gof a chadw, fel Breuddwydio *Emu* a *Yam*.'

'Swnio fatha grŵp pop,' meddwn i.

'Doedd gan frodorion Anialwch y Gorllewin ddim celf weledol tan yn ddiweddar,' meddai Alun. 'Emily ddaru gychwyn y traddodiad. Roedd hi'n defnyddio streipiau du a gwyn a thresiadau organig ar gefndiroedd tywyll. Doedd ganddi ddim plant, ond roedd yna tua 80 o aelodau o'i theulu'n dibynnu ar ei llwyddiant. Erbyn diwedd ei hoes roedd ei gwaith hi'n ennill hanner miliwn o ddoleri'r flwyddyn iddi hi a'i thylwyth. Bu farw dan y sêr yng nghysgod ei chwt o wiail plethedig yn Soakage Bore.'

'Iesu, mae gen ti gystadleuaeth o ran malu cachu,' meddwn i wrth Gwyn. 'Enwa di ryw arlunydd mawr does neb wedi clywad sôn amdano fo.'

'Joseph,' meddai Gwyn a chymryd llymad o win. 'Arlunydd tri deg chwech oed sy'n byw ar y stryd ym Mharis. Neb yn siŵr o'i enw llawn o nag o ble dôth o. Wythnosau sgynno fo i fyw hefo cansar ar yr esgyrn. Mi fydd yna arddangosfa o'i waith cyn bo hir yn Amgueddfa Celf Fodern Ffrainc ac mae Canolfan Pompidou yn sôn am brynu un o'i luniau.'

'Dangos rhai o'i lunia fo,' meddai Delyth.

'Fedra i ddim,' meddai Gwyn. 'Does yna ddim llunia'n y llyfr yma. Ond roedd o'n arfar gwerthu'i baentiadau am tua mil o iwros yr un ac yn gwario'r pres ar gynfasau peintio ac alcohol. Tair potelaid o wisgi'r diwrnod. Ac yn dal i fyw ar balmant *Rue du Roi-de-Sicile* yn ardal y *Marais*. Byw a gweithio ar y stryd, yfed, athronyddu a chyfarch ei gynulleidfa. Mi fydda lot o'i waith o'n cael ei ddwyn liw nos pan fydda fo'n chwyrnu cysgu. Doedd o ddim yn cofio'i ail enw nac yn cofio o ba wlad yn Affrica oedd o'n hanu ohoni.'

'Bechod i rywun golli'i wreiddia fel'na,' meddwn i.

'Deu,' meddai Alun. 'Trafod y celfyddydau ym Mhlas Dolabram. Yn iach i'r hen drefn a chroeso i'r oes newydd.'

'Chwith gweld yr hen le'n mynd 'run fath,' meddai Delyth.

'Mae o'n bechod,' meddai Alun.

''Dach chi ddynion yn hollol hoples,' meddai Delyth Ann. 'Pryd ydach chi'n mynd i sylweddoli?'

'Sylweddoli be?' meddai Gwyn Bont.

Edrychodd Delyth arnom ni'n tri. ''Dach chi'n fodlon ista'n fan'na'n gweitsiad am ddiwedd y gân yn Nolabram. Mi laswn i ddeud wrthoch chi be i'w wneud ond fasach chi ddim isio gwrando. Dynion ydach chi. Pennau calad. Rhy styfnig i droi oddi wrth eich methiant.'

'Pam wnei di ddim deud wrthan ni 'ta,' meddai Alun.

'Meddwl eich bod chi'n gwybod yn well, tydach?' meddai hithau. 'Dwi'n cofio gweld llun o asgwrn corn carw hefo dau ddeg wyth llinell wedi'u naddu arno fo a'r athro'n deud mai hon oedd ymgais gyntaf dyn i wneud calendar ond ddim dyn oedd wedi ei wneud o.'

'Pwy 'ta?' meddai Gwyn. 'Mwnci?'

137

'Pa ddynion sydd angen rhifo dau ddeg wyth diwrnod?' meddai Delyth Ann. 'Ymgais gyntaf dynas i wneud calendar oedd hi, nid ymgais dyn.'

'Mae'n siŵr bod y dynion yn rhy brysur yn hela neu rywbath,' meddwn i.

'Mae'r holl sôn am "ddyn yr heliwr" yn lol botas,' meddai hithau. 'Merched oedd yn cyfrannu naw deg y cant o'r bwyd. Ni ddaru ddyfeisio amaethyddiaeth. Pwy arall fyddai wedi bod ag amser ac amynedd i hau ychydig hadau a gweld be ddeuai ohonyn nhw?'

'Iawn, 'dan ni'n derbyn fod dynion yn betha diwerth,' meddai Gwyn. 'Ond ddim dyna oedda chdi isio'i ddeud wrthan ni, yn nacia?'

'Nacia,' meddai Delyth. 'Isio deud o'n i fod yr Alun Plas yma, sy'n iste'n fan'ne ac yn dweud ei fod o am werthu'r lle'ma am hanner ei werth, angen cael sbio'i ben am feddwl gwneud peth mor wirion.'

'Mae hi'n iawn,' meddwn innau. 'Chei di mo werth y lle ar y farchnad. Pam wyt ti'n meddwl eu bod nhw isio'r lle? Ac os oedda chdi'n gadael am dy fod di'n unig, sbia, mae Gwyn Bont hefo chdi rŵan yn ôl pob golwg.'

'Gwyn pwy?' meddai Alun. 'O'n i'n meddwl mai Gwyn ap Llwyd oedda chdi.'

'Does yna neb yn siŵr iawn pwy ydi Gwyn ap Llwyd,' meddwn i, 'ond mi wn i pwy ydi Gwyn Bont. Paid â phoeni, Alun, mae 'na lot o bethau 'dydi pobol ddim yn eu gwybod am hwn.'

'Ychydig o waith gwario ar y lle yma ac mi fasa'n chwip o le,' meddai Delyth Ann. 'Arallgyfeirio,' ychwanegodd.

'Lle daw'r pres?' meddai Alun. 'Mae isio talu am ddechrau newydd, debyg.'

'Ti 'di gwerthu'r stoc,' meddai Delyth. 'Paid â chymryd arnat fod pres rheina wedi mynd. Ac yli'r hen ddodrefn hen ffasiwn yma. Mi gaet ti ffortiwn am y rhain yng Nghroesoswallt.'

'Dwi ddim isio cael gwared o'r hen ddodrefn o'r tŷ,' eglurodd Alun. 'Dyna pam dwi'n gwerthu'r lle a'r dodrefn hefo'i gilydd.'

'Wel mi rwyt ti'n ffŵl ddwy waith felly,' meddwn i wrtho fo. 'Achos chei di ddim tamaid o werth y dodrefn felly, fel job lot, ac mi werthith y prynwr nhw i dalu rhan o gost yr adeilad. Wyt ti'n meddwl fod dy "sentimental faliw" di'n pasio hefo'r gweithredoedd?'

'Gwertha'r dodrefn, a chadw'r tŷ,' meddai Gwyn Bont. 'Faswn i ddim yn gwisgo hen ddillad, pam fyddwn i eisiau cysgu ar hen wely neu ista ar hen gadeiriau?'

'Mynd yn ôl i Gaerdydd wnei di, beth bynnag,' meddai Alun.

'Aros yma hefo fo,' meddwn i wrth Gwyn. 'Be sy 'na yng Nghaerdydd na chei di mono fo'n fan'ma?'

'Bwrlwm, bwytai, siopau, traffig,' meddai Gwyn. 'Y feri petha sy'n gyrru fi'n wirion. Sgin i ddim brys i fynd yn ôl yno. Well gin i flas y cynfyd yn aros fel hen win.'

' "Hen, hen yw murmur llawer man sydd rhwng dwy afon Dol Abram",' meddai Alun. 'Aros yma, mi wnawn ni rywbath ohoni hefo'n gilydd.'

'Troi'r lle'n fusnas o ryw fath,' meddwn innau.

'Bwyty hefo lle i aros fasa'n dda yma,' meddai Delyth Ann. 'Troi'r sgubor yn lle bwyta, hefo bar iawn, a gwres dan llawr. A gosod y llofftydd fyny grisiau.'

'Galw'r lle'n Gwesty Dolabram,' meddwn i.

'Mi fedrat ti ailstocio'r ffarm i gyflenwi'r bwyty, a mân werthu'r cynnyrch dros ben,' meddai Gwyn Bont.

'Wyt ti'n meddwl?' meddai Alun.

'Wst ti be,' meddai Delyth. 'Mi fedrwn i wneud lot hefo lle fel hyn. Tynnu'r carpedi afiach yma allan a chaboli'r estyll derw nes eu bod nhw'n sgleinio. Sgin ti fathrwms *en suite* yma?'

'Oes,' meddai Alun.

'Nwy?'

'Potel,' meddai Alun.

'Fyddai angan gwario deng mil ar y gegin i gael yr offer dwi angen,' meddai.

'Dalith y cwpwrdd tridarn am gegin newydd ichdi,' meddai Gwyn dan chwerthin.

'Ydach chi o ddifri ynteu tynnu coes ydach chi?' holodd Alun. ''Blaw ein bod ni'n Gymraeg does yna fawr o ddim yn gyffredin rhyngthon ni.'

'Mae 'na rhyngtho chdi a Gwyn, 'toes,' meddai Delyth. 'A tydi Wil Chips a finna ddim yn bell o fod yn ffrindie.' Gwasgodd fy llaw yn gynnil a gwenu nes bod iasau'n saethu i fyny ac i lawr fy nghefn.

'Mae Alun a finnau'n dallt ein gilydd yn iawn,' meddai Gwyn. 'Gŵr bonheddig diwylliedig iawn, yn wahanol i'r rafins eraill dwi'n nabod. Beth bynnag, os ydach chi isio help hefo grantiau a ballu, dwi'n hen law ar betha felly.'

'Faint o bres wyt ti meddwl fedrwn ni gael, felly?' meddwn i.

'Strwythuro'r cwmni'n iawn, fedrwn ni gael pres am ei dri chwartar o,' meddai. 'Y chwartar arall fydd yn rhaid inni gael hyd iddyn nhw.'

'Ro i ddeng mil i mewn,' meddai Delyth Ann.

'A finnau,' meddwn innau.

'Lle cei di nhw, Wil?' meddai Gwyn.

'Mi ca i nhw,' meddwn i.

'Well imi ddechra rhoi llun ar y cynllun busnas 'ta,' meddai Gwyn gan nodio'i ben tua'r cyfrifiadur.

'Bora fory,' meddai Alun. 'Mae hi'n rhy hwyr heno.'

'Sgin ti fawr o heno ar ôl, washi,' meddai Delyth Ann.

Erbyn dallt roedd gan Alun ragor o Sansêr yn yr oergell. Gelli di fentro ei fod o'n flasus ac yn oer. Gwelais wawr oren yn cosi godre'r ffenast. Roedd yr awyr yn felyn uwch ben y coed pin a'r dyffryn yn llwydlas oddi tanom.

Edrychodd Alun o'r naill i'r llall ohonom. 'Mi faswn i wrth fy modd yn gwneud rhywbeth ohoni yma,' meddai. 'Tasa fo mond i ddangos i'r tacle Cynulliad yna fod yna rai ar ôl sy ddim isio cael eu trechu ganddyn nhw. Chawn ni ddiawl o ddim os na wnawn ni o'n hunain.'

Cododd Gwyn ar ei draed ac meddai a'i lygaid arnom, *'Pwy yw'r rhain trwy'r cwmwl a'r haul yn hedfan, yn dyfod fel colomennod i'w ffenestri?'*

'Pwy ti'n alw'n gloman?' meddwn i.

'Tebycach i sguthan,' meddai Delyth. 'Rhowch imi sguthan ac mi pluwn hi a thynnu'i hesgyrn a'i ffrio hi mewn menyn ar bob ochor a'i rhostio am ddeg munud. Mi faswn i'n ei gweini ar lestri gloywon ar lieiniau gwynion a choed tân yn clecian ar yr aelwyd a thorth wedi'i phobi mewn popty llosgi coed hefo blawd o'n gwenith ni'n hunain a menyn wedi'i wneud yn y llaethdy fel erstalwm. Dwi isio golau'r haul yn felyn drwy'r blodau ar y byrddau. A chael gwarad o'r blydi rhosod yna o gwmpas y drws ffrynt.'

'Mae'n gas gin i'r rhosod melyn yna,' meddai Alun. 'Fyddwch chi isio i fi dyfu llysiau a ballu?' holodd wedyn.

'Chdi biau'r sioe, y diawl gwirion,' meddai Gwyn. 'Ond fydd raid inni sefydlu partneriaeth rhwng y pedwar ohonom ni o ran y busnes.'

'Sgin ti hawliau ar yr afon?' gofynnais i Alun.

'Ryw dri chan llath o hawliau 'sgota,' atebodd.

'Bingo,' meddwn innau. 'Sgin ti rwla i fynd â phobol ar feiciau cwad draws gwlad? Rywle i saethu colomennod clai? Rywle i fynd â chanŵs drwy'r ewyn?'

'Fydd marchnata'r lle'n hawdd,' meddai Gwyn Bont. 'A 'dan ni'n agos at ddigon o ddarpar gwsmeriaid dros y ffin ac at y rhan fwyaf o lefydd yng Nghymru.'

Dwn i ddim pam, ond mi ddechreuais innau weld y lle ar ei newydd wedd. Pobol mewn lifrai wrthi'n caboli gwydrau. Delyth yn ei dillad gwynion yn cario basgedaid o berlysiau i'r gegin. Gwyn Bont yn tynnu cyrcs siampaen rhwng bys a bawd ac Alun yn sythu'r llen felfed dros y llechen ar y mur. Disgwyl mawr i Geraint Jarman gyrraedd i agor Gwesty Dolabram yn swyddogol. Y prawf go iawn ar fin dechrau. Geiriau cyfarch y Prifardd yn dŵad i'r co. 'I'n neuadd wael, gwynt coch Cynddylan ddaeth drwodd a diffodd yr hen dân, ond drwy'r drws meddw, daw rŵan sŵn ffair: direidi'r gair a dewrder y gân.' Ac roeddwn i'n clywad sŵn gweiddi a chwerthin Bethan a Siôn wrth iddyn nhw redag i lawr y grisiau. Gwelais hyn ar amrantiad. Edrychais o'r naill i'r llall. Doedd neb arall wedi gweld na chlywed dim.

'Dwn i'm ydach chi isio gwybod be liciwn i weld,' meddwn i. 'Ond mi ddeuda i wrthoch chi am ddim p'run bynnag. Mi liciwn i weld y lle yma'n gartra eto, ac yn llawn bywyd newydd.' Tynnais y ddau sglodyn enwau i'r plant o'm pocad. Llamhidydd i Bethan a Bart i Siôn. 'Yr unig beth ydw i isio ydi dau ddrws rywle yng Nghymru lle medra i hoelio'r rhain arnyn nhw.'

'Wn i am ddau ddrws gei di,' meddai Alun.

'Be am eu mam nhw?' meddai Delyth Ann. 'Mae gynni hitha hawliau.'

'Mae hi'n alcoholig,' meddwn i. 'Mae hi'n eu caethiwo nhw mewn bloc o fflatiau ynghanol dinas ddiarth. Maen nhw isio bod hefo fi yng Nghymru.'

'Mi ddôn nhw ryw ddydd,' meddai Alun. 'Fel obelisg Acsum i Ethiopia.'

'Be?' meddwn i. 'Sgynnon ni ddim amsar i glywad stori arall gin ti.'

'Oes,' meddai Alun. 'Tydi hi ddim wedi gwawrio eto.'

'Mae o'n symbol o genedl a diwylliant yr Ethiopiaid,' meddai Gwyn. 'Mi gafodd ei ddwyn gan Mussolini, ond o'r diwedd mae o'n cael mynd adra ar ôl dros hannar canrif. Un darn o garrag ithfaen saith metr o hyd a phedwar deg wyth tunnell ydi o, ond hyd yn oed wedyn mae pawb angan mynd adra'n y pen draw.'

'Wastad ryw ddamag, toes?' meddwn i.

'Dwi angan fy ngwely,' meddai Delyth. 'Tyd, Wil.' Gafaelodd yn fy llaw a'm harwain at y grisiau.

'Faint o hyn ydan ni'n mynd i'w gofio'n bora, Delyth Ann?' meddwn i.

'Mae hi *yn* fore,' meddai hi. 'Clyw'r adar yn canu.'

Roedd côr y wawr wrthi o bob cangen ac afiaith y fronfraith a thrydar y deryn du a'r dryw a'r robin a'r titw tomos las yn llenwi fy mhen. Trois yn ôl o odra'r grisiau a chael cipolwg o Alun a'i ddwylo'n y bocs orenau yn codi'r cloc a'i osod ar y pentan a Gwyn yn codi ato ac yn gafael reit annwyl yn ei law.

'Ydi pethau'n mynd i droi allan yn iawn?' gofynnais iddi.

Cododd ei sgwyddau. 'Mae'r gwaith siarad ar ben,' meddai a'm harwain i lofft uwchben y gegin. Roedd yna wely mawr glân, oer yn ei chanol hi. Aethon ni o dan y cynfasau fel nofio mewn afon. Roedd ei chroen hi'n wyn a chynnes ar fy moch. Roeddwn i'n suddo'n braf i'w mynwes pan sylwais ar gysgod golau'n symud ar draws y ffenast a thybio clywad sŵn traed yn sgrwnsio ar raean y llwybyr. Roedd fy nghalon yn dyrnu mynd a finnau'n gweld bysadd melyn yn crafangu drwy'r llwch tuag ataf. Clywn y geiriau'n lluosogi ac yn cryfhau a'u gweld ym mhob man ar waliau cam ac adeiladau, ar hysbysebion a chyfarwyddiadau, mewn llyfrau ac ar lonydd. Roedd yr haul a'i fysadd ar y gwydr ar ddiwadd un diwrnod yn yr Eisteddfod.